# COMMENT REPASSER SA CHEMISE

## ET AUTRES BONHEURS DOMESTIQUES

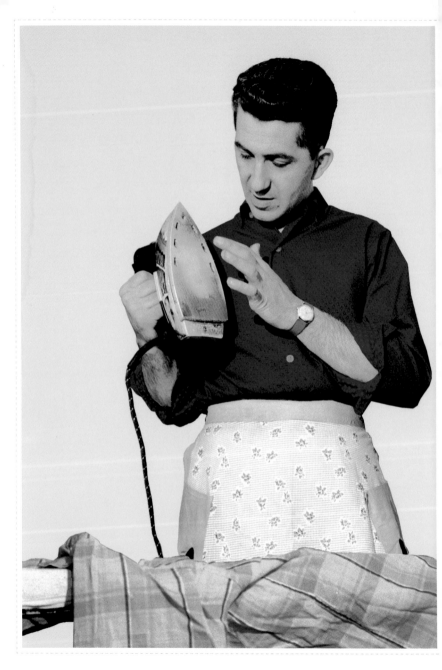

L'ART OUBLIÉ D'ÊTRE UN HOMME

# COMMENT REPASSER SA CHEMISE

## ET AUTRES BONHEURS DOMESTIQUES

SAM MARTIN

Traduit de l'anglais par
FLORENCE BELLOT

JC Lattès

Édition originale :
**Copyright © Elwin Street Limited, 2004**

Publiée par Elwin Street Limited
35 Charlotte Road
London EC2A 3PD
www.elwinstreet.com

Tous droits réservés

Conception maquette originale: Headcase Design
Illustrations : Paul Blow

Édition française :
**© 2004, Éditions Jean-Claude Lattès pour la traduction française.**
www.editions-jclattes.fr

Traduction : Florence Bellot
Édition : Brigitte Brisse
Mise en page : Thomas Winock

Ce livre a été imprimé à Singapour sur papier acid-free.

# SOMMAIRE

# INTRODUCTION

Ne nous voilons pas la face : la plupart des hommes sont des souillons. Qu'un match ou un sport quelconque à la télévision nous enthousiasme, et nous voilà renversant de la bière partout sur le canapé. Sommes-nous livrés à nous-mêmes, la vaisselle sale s'empile dans l'évier, les cartons de pizza prolifèrent et la lessive se résume à déposer un jean au pressing deux fois par mois. Quelle est la raison de ce comportement, alors que nous voyons très bien la bière renversée ou le carnage dans la cuisine ? Elle est toute simple : on s'en fiche. Du moins, tant que cela ne rejaillit pas sur notre santé, notre vie sexuelle et n'influe pas sur nos revenus.

Ce comportement remonte certainement aux années 1960, époque où les hommes ont commencé à prendre conscience de leur part de féminité, pendant qu'au même moment les femmes arrêtaient de nettoyer derrière eux. On pourrait croire qu'un changement aussi radical aurait appris à la majorité des hommes comment cuisiner ou faire le ménage, mais ils furent laissés sur la touche par le mouvement féministe. On leur tendit un baril de lessive, une poêle à frire, et roulez jeunesse, débrouillez-vous.

Chose étrange, si l'on se penche sur les tendances vestimentaires des années 1970, on remarquera une épidémie nationale inexpliquée de vêtements étriqués, délavés, en gros : immettables. D'innombrables restaurants signalèrent une hausse de leur service de plats à emporter. Est-ce une coïncidence, si les livraisons à domicile devinrent un tel business dans les années 1980, et le sont encore aujourd'hui ? Non. Les hommes ne faisaient que répondre de leur mieux à ces nouvelles épreuves : en étant débrouillards.

Aujourd'hui, cependant, les choses ont changé. Un nombre croissant d'hommes veulent assumer leur virilité (les ventes d'outillage électrique ne cessent de croître depuis l'an 2000) et les femmes ne tolèrent plus que l'on soit incapable de s'organiser un minimum pour arborer une chemise propre et présenter une salle de bains décente. Malheureusement, la plupart des hommes s'étant abstenus de remettre leur ouvrage sur le métier pendant presque une génération, ils ne font plus la différence entre un marteau et une hache. Laver et repasser une chemise les plongent dans d'insondables abîmes de réflexion. Car ils ne se sont pas fourrés dans le crâne qu'une maison bien rangée, bien tenue et bien propre attirera du monde, pourra pimenter leur vie sexuelle et même les enrichir.

Pourquoi croyez-vous que les gays sont autant à la mode ? Ils sont canons, ils ont toujours des boulots bien payés. Ils sont organisés, ont de super appartements et savent repasser une chemise. Reconnaissons-le, ils ont des vies sentimentales géniales, ne manquent jamais d'amis et organisent des fêtes fabuleuses parce qu'ils ont un mobilier branché, des cuisines de pros et (l'argument qui tue) des salles de bains et toilettes impeccables. Alors prenez-en de la graine !

Croyez-moi, vous pouvez réussir à ranger, nettoyer, et avoir néanmoins l'air viril tout en devenant incollable sur l'entretien de votre maison : ce livre est là pour ça. Vous y trouverez un chapitre qui vous expliquera comment vous débarrasser de l'inutile et créer des rangements adaptés. Tout le B.A.BA du nettoyage vous attend aussi, depuis la remise en état de la salle de bains avant la visite de votre conquête jusqu'au lavage, séchage et pliage de vos vêtements sans les réduire à la taille d'une panoplie de Ken. Vous apprendrez aussi comment effectuer les petites réparations, et avec quels outils. Vous y gagnerez l'expérience dont s'enorgueillira tout homme digne de ce nom.

Si vous êtes parmi les derniers irréductibles à vous rouler encore avec délice dans votre fange, je vous en conjure, pour votre bien, il serait temps de vous reprendre. Améliorez votre personne et votre foyer ! Ce ne sera pas joli-joli au début, d'accord. Vous allez disparaître sous des montagnes de trucs inutiles et vous embarquer dans une longue liste de réparations. Mais ne vous y trompez pas, à la fin, vous en sortirez grandi.

# SAVOIR VOUS ORGANISER

Même les plus zen d'entre nous deviendront écarlates et enverront tout balader s'ils ne trouvent pas leurs outils. Durant la quête infernale de l'objet miracle, ça empire : le temps nous file entre les doigts, femmes et fiancées sont délaissées, les steaks carbonisent, et nous ratons nos rendez-vous de la plus haute importance avec nos copains. Dire que tout cela peut être évité avec un soupçon d'organisation…

# RÉDUIRE LE DÉSORDRE AU MINIMUM

On dit souvent que ranger chez soi ou au bureau est l'un des meilleurs exercices qui soient pour s'éclaircir les idées (ce qui vous sera très utile quand vous vous attaquerez aux travaux de résistance de ce livre). Cela dégagera aussi l'espace où vous vivez ou travaillez. Vous aurez l'impression d'être moins dépassé et de mieux contrôler votre vie.

## L'équipement

**Créer des habitudes**

**Un endroit pour chaque chose**

**Des sacs-poubelle**

**La volonté de simplifier votre vie**

## LA MÉTHODE

1. Attribuez une place à chaque chose dans votre maison pour bien savoir où ranger quand ça commence à s'accumuler. Placez papiers et factures dans des dossiers clairement identifiés, linge sale dans un panier spécial, vieux journaux et magazines dans des sacs de recyclage.

2. Après avoir utilisé quoi que ce soit – livre, chemise, verre – remettez-le à sa « place » au lieu de l'abandonner n'importe où et de le laisser mariner des semaines.

3. Habituez-vous à inspecter votre maison. Un rapide survol de chaque pièce à la fin de la journée, où vous ramasserez et rangerez : voilà une bonne méthode pour mater le désordre.

4. Définissez un endroit pratique dans votre entrée où vous laisserez vos clés, portefeuille, monnaie et lunettes de soleil – ces petites horreurs introuvables quand on en a besoin.

5. Habituez-vous à jeter.

# STRATÉGIES POUR DOMINER LE DÉSORDRE

Toutes vos chaussettes vont désormais par paire, bravo. Mais pour qu'elles le restent, c'est une autre affaire. L'homme a besoin d'une stratégie afin de triompher quotidiennement du bazar et de mener une vie calme.

## LA MÉTHODE

**1** Établissez une routine précise et surtout n'en déviez pas. Commencez chaque jour par faire votre lit et ramasser ce qui traîne : le reste se mettra en place plus facilement.

**2** Si la maison, le travail, la famille vous plongent dans un état proche de la paralysie, si organiser vous semble totalement inconcevable, faites une chose à la fois. Concentrez-vous sur une pièce de la maison et traitez-la. Quand c'est fait, passez à la suivante et ainsi de suite.

**3** Faites des listes de tâches. Elles peuvent vous libérer l'esprit et vous fournir une aide visuelle pour vous y mettre. D'ailleurs, comme toute femme vous le dira, vous serez surpris de la satisfaction éprouvée à en barrer une de votre liste.

**4** Certes, c'est plus facile à dire qu'à faire, mais rangez tout immédiatement après chaque utilisation.

**5** Faites la vaisselle après chaque repas.

**6** Ayez présent à l'esprit que vous pouvez toujours mieux ranger et classer. Si vos stylos, enveloppes, trombones et mille autres articles de bureau se disputent un seul tiroir, envisagez d'investir dans des compartiments séparés.

**7** Essayez toujours de limiter vos besoins. Combien d'exemplaires d'*Auto Plus* êtes-vous capable de feuilleter en même temps ?

# LES BONS OUTILS

Progresser dans la voie de l'organisation, c'est autant savoir trouver un numéro de téléphone, se souvenir d'un anniversaire, arriver à l'heure à un rendez-vous que ranger et instaurer de bonnes habitudes. Voilà pourquoi un homme est fichu s'il n'a pas de gadget électronique.

## LES GADGETS DE POCHE

Si vous loupez sans cesse vos rendez-vous importants ou n'arrivez pas à garder votre carnet d'adresses à jour, un ordinateur de poche peut vous être utile. Qu'ils se nomment assistant personnel, organiseur ou Palm Pilot, ils stockent des milliers d'adresses, enregistrent vos réunions et fournissent l'accès internet pour gérer la maison à distance. Certains sont même dotés de GPS et de fonction téléphone : vous ne vous perdrez plus jamais.

### LA MÉTHODE

1. Si votre organiseur ne sert essentiellement qu'à noter vos rendez-vous, vos numéros de téléphone et vos pense-bêtes, choisissez le moins cher avec 8 Mo de mémoire, cela vous suffira largement.

2. Pensez à la batterie. Certains assistants personnels se rechargent plus fréquemment que d'autres. Attention aux différents modèles de batteries, il y en a des jetables et d'autres qui se rechargent sur secteur.

3. Préférez l'écran noir et blanc à moins que vous ne mourriez d'envie de regarder des vidéos sur votre assistant. Auquel cas prévoyez des lunettes.

# LES ORDINATEURS

Avant d'aller dégarnir votre compte en banque pour vous acheter un ordinateur dernier cri, pensez bien à quoi il va vous servir. Si c'est pour faire vos comptes, répertorier vos adresses e-mail et planifier vos exaltantes tâches ménagères, optez pour un modèle vendu avec un bon accès internet, un logiciel de comptabilité et Microsoft Word plutôt que pour celui bourré de logiciels chers et inutiles.

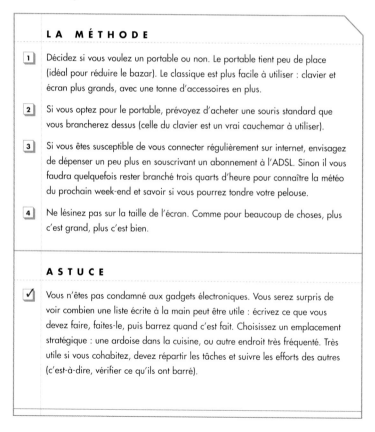

## LA MÉTHODE

1. Décidez si vous voulez un portable ou non. Le portable tient peu de place (idéal pour réduire le bazar). Le classique est plus facile à utiliser : clavier et écran plus grands, avec une tonne d'accessoires en plus.

2. Si vous optez pour le portable, prévoyez d'acheter une souris standard que vous brancherez dessus (celle du clavier est un vrai cauchemar à utiliser).

3. Si vous êtes susceptible de vous connecter régulièrement sur internet, envisagez de dépenser un peu plus en souscrivant un abonnement à l'ADSL. Sinon il vous faudra quelquefois rester branché trois quarts d'heure pour connaître la météo du prochain week-end et savoir si vous pourrez tondre votre pelouse.

4. Ne lésinez pas sur la taille de l'écran. Comme pour beaucoup de choses, plus c'est grand, plus c'est bien.

## ASTUCE

☑ Vous n'êtes pas condamné aux gadgets électroniques. Vous serez surpris de voir combien une liste écrite à la main peut être utile : écrivez ce que vous devez faire, faites-le, puis barrez quand c'est fait. Choisissez un emplacement stratégique : une ardoise dans la cuisine, ou autre endroit très fréquenté. Très utile si vous cohabitez, devez répartir les tâches et suivre les efforts des autres (c'est-à-dire, vérifier ce qu'ils ont barré).

# CINQ IDÉES DE RANGEMENT

Si vous voulez vraiment ranger, vous n'irez pas loin sans un espace consacré : vous allez devoir utiliser tous les recoins de votre maison (et vous débrouiller en plus pour que cela soit esthétique). C'est ici qu'entrent en scène étagères, armoires, commodes, tiroirs et boîtes variées.

## QUE CHOISIR ?

1. Des étagères fixes ou en kit sont indispensables. On peut en installer de toutes tailles, de toutes formes, n'importe où dans la maison ou le garage, depuis la tablette dans la salle de bains aux murs du salon (voir p. 84). De plus, elles n'ont pas besoin d'être fantaisistes pour remplir leur rôle.

2. Des râteliers et des crochets sont également des solutions très simples, souvent oubliées. Si vous avez des vélos ou du matériel d'exercice sur lesquels vous butez régulièrement, voilà qui peut vous aider à éradiquer vos « jouets » du sol. Dans la cuisine, fixez quelques crochets pour les casseroles et les poêles, elles n'en seront que plus faciles à attraper.

3. Pour ne plus voir votre bazar, un des meilleurs moyens est de vous procurer quelques placards, qui ne sont en fait que de simples boîtes sur lesquelles on a fixé des portes. On les trouve essentiellement dans les cuisines, mais rien n'empêche d'en mettre partout, dans la salle de bains pour les serviettes, par exemple.

4. Les tiroirs sont un autre endroit judicieux pour stocker. Puisque vous installez des placards, pourquoi ne pas les en équiper (voir p. 83) ? Profonds et larges afin de contenir casseroles, poêles, containers de recyclage, matériel de dessin et vêtements, ou tout petits pour vos photos, outils et matériel de bureau.

5. Trop occupé/paresseux pour le faire vous-même ? Achetez de belles boîtes ou de jolies caisses. En osier, bois ou plastique, on peut les empiler dans un placard, les glisser sous un lit, ou les poser fond vers le mur pour créer un système d'alvéoles pratique. Si vous n'avez envie d'investir ni argent ni temps à monter des étagères et des tiroirs, c'est ce qu'il vous faut.

# LES BASIQUES DE LA CUISINE

Toute cuisine décente doit être équipée pour le quotidien et les réceptions occasionnelles. Une fois votre cuisine rangée, vous vous rendrez à l'évidence : il est temps de remplacer ou d'acquérir certains ustensiles de base, pour inviter vos amis ou simplement préparer votre dîner.

*Ustensiles de base*

**Cocotte**

**Casseroles : une petite, une moyenne**

**Poêle à frire 35 cm de diamètre**

**Sauteuse 35 cm de diamètre**

**Passoire**

**Saladiers de tailles variées**

**Boîtes plastiques avec couvercle**

**Planche à découper**

**Assortiment de couteaux de cuisine aiguisés**

**Cuillers en bois**

**Louche**

**Spatule**

**Ouvre-boîte**

**Grille-pain**

**Bouilloire**

**Cafetière/théière**

**Râpe à fromage**

**Torchons**

*Pour recevoir vos amis*

**Assiettes de tailles variées**

**Couverts de service**

**Carafe**

**(Par série de huit):**

**Verres à cocktail**

**Grands verres à eau**

**Verres à vin**

**Verres à bière**

**Couteaux à steak**

**Couteaux, fourchettes,
petites cuillers, cuillers à soupe**

**Plats**

**Corbeille à pain**

**Petits bols**

**Grands bols**

**Tasses à thé et à café**

# ORGANISER VOTRE PENDERIE

Toutes les penderies offrent un espace limité dans lequel il faut caser une quantité invraisemblable d'éléments hétéroclites. Évitez les deux fléaux principaux qui sévissent dans une penderie mal organisée : un temps fou perdu à déblayer qui vous empêche d'attraper ce que vous cherchez et, quand vous tenez votre proie, le contenu de la penderie qui l'accompagne et s'étale sadiquement à vos pieds. Vous pouvez dire adieu à ce drame.

| *L'équipement* | LA MÉTHODE |
|---|---|
| **Sacs-poubelle** | **1** Passez en revue chacun de vos vêtements et débarrassez-vous de tout ce que vous n'avez jamais porté depuis un an. |
| **Cintres en bois** | |
| **Tiroirs et étagères** | **2** Remplacez les cintres en fer que vous avez rapportés du pressing. Trop fins, ils vont se déformer facilement. Préférez les cintres en bois, bien solides. |
| **Boîtes** | |
| **Cintres à cravates** | |
| **Étagères à chaussures** | **3** Maintenant que le tri est fait, vous devriez avoir assez de place dans votre penderie pour y installer des rangements à tiroirs du sol au plafond. Ou bien empilez des caisses (plastique ou bois) pour créer des alvéoles qui accueilleront vêtements pliés et chaussures. |
| | **4** Séparez vêtements d'hiver et d'été. Ménagez-vous un accès facile à ceux que vous utilisez pour la saison en cours. Si vous le pouvez, rangez les « hors-saison » dans votre garage. |

*suite page de droite*

*suite*

**5** Suspendez vos vêtements par catégories : les pantalons ensemble, puis les chemises, ensuite les vestes. Tout sera ainsi plus facile à trouver. Il est aussi utile (et joli) de ranger vos chemises par gammes de couleurs.

**6** Accrochez cravates et ceintures à part. On peut se procurer partout des cintres spéciaux pour les accrocher à la porte ou les adapter sur vos cintres normaux.

**7** Oubliez les chaussures éparpillées sur le sol. Mettez-les dans des boîtes ou dans des rangements prévus à cet effet, il en existe de toutes sortes. Mes préférés sont ceux que l'on suspend sur la porte du placard.

# ORGANISER VOTRE ARMOIRE À LINGE

Les raisons ne manquent pas pour mettre de l'ordre chez vous (les premières sont bien sûr un ticket de loto égaré ou le numéro de téléphone d'une créature de rêve), mais à coup sûr vous allez briquer parce qu'une fille doit pointer son nez, pour dîner ou s'installer. Si la dernière option vous tombe dessus, pensez au partage de la douche et de la chambre (ne perdez pas les pédales). Il vous faudra alors plus qu'une malheureuse serviette de toilette et une paire de draps soustraite à la vigilance de votre maman quand vous avez quitté la maison.

Prévoyez des essuie-mains (quelle femme voudrait s'essuyer le visage dans la serviette où vous avez frictionné votre postérieur ?), au moins trois draps de bain et trois parures de lit, des couvertures supplémentaires (la femme est souvent frileuse), des nappes avec serviettes (pour séduire les beaux-parents). Après, il faudra bien ranger tout ça quelque part…

## LA MÉTHODE

**1** Regroupez ce qui se ressemble, en laissant les serviettes très accessibles.

**2** Draps de plage et couvertures peuvent être remisés, à moins que vous ne soyez accro de la salle de gym (soyez franc) ou viviez dans un endroit glacial.

**3** On utilise moins de draps que de serviettes, mais ils doivent quand même être plus accessibles que les couvertures ou les oreillers supplémentaires.

**4** Pliez toujours les serviettes et les draps aussi plat que possible : ils s'empileront plus facilement et vous doublerez vos capacités de rangement.

**5** Rangez les serviettes de table près des nappes, sauf si vous avez une commode dans la salle à manger ou un tiroir à linge dans votre cuisine, auquel cas il sera logique de les y placer, prêtes à entrer en action.

# RANGER VOTRE ARMOIRE
# DE SALLE DE BAINS

Bourrez-la de bricoles de première nécessité pour les maux de tête, douleurs musculaires et surtout brûlures d'estomac. Bien entendu, pensez aux articles de toilette indispensables pour a) vous donner l'air propre et convenable et b) vous donner l'impression d'être propre et convenable. Ce dernier point est fondamental si vous avez une « invitée » chez vous. Cerise sur le gâteau, vous serez un véritable héros si vous exhibez une brosse à dents neuve pour que l'« invitée » rafraîchisse son haleine le matin.

## L'équipement

**Tablettes contre les brûlures d'estomac**

**Mini tondeuse pour les poils de nez et d'oreilles**

**Thermomètre**

**Aspirine**

**Baume à lèvres**

**Baume du Tigre**

**Fil dentaire**

**Pommade antibiotique**

**Pansements**

**Ciseaux à ongles**

**Pince à épiler**

**Alcool à 60°**

**Eau oxygénée**

**Sérum physiologique**

**Coton hydrophile**

**Carrés de coton à démaquiller**

**Brosse à dents de secours**

**Déodorant**

**Brosse ou peigne**

**Lotions pour cheveux (mousse, gel ou spray)**

**Savonnette**

**Lames de rasoir d'avance**

**Mousse à raser d'avance**

**Dentifrice d'avance**

# TROUSSE DE PREMIERS SECOURS

S'organiser n'est pas une mince affaire, surtout pour monter des étagères ou remplacer une vitre cassée. Assurez-vous d'avoir une bonne trousse de premiers secours et respectez bien les règles de sécurité.

Placez votre trousse dans un endroit pratique, comme une armoire à linge ou la cuisine. Si vous êtes de ceux qui se déchaînent beaucoup dans le garage, il serait judicieux d'y entreposer une petite. Comme votre femme ou votre fiancée vous l'a déjà fait remarquer d'un ton énervé, il n'est pas du meilleur goût de débouler dans la maison plein de cambouis (ou de sang).

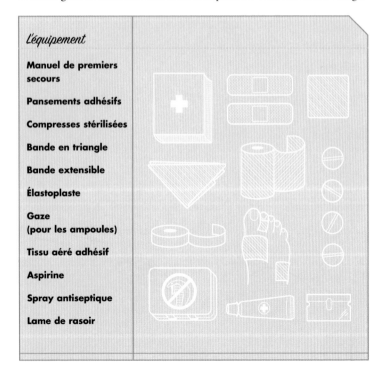

**L'équipement**

**Manuel de premiers secours**

**Pansements adhésifs**

**Compresses stérilisées**

**Bande en triangle**

**Bande extensible**

**Élastoplaste**

**Gaze (pour les ampoules)**

**Tissu aéré adhésif**

**Aspirine**

**Spray antiseptique**

**Lame de rasoir**

# CONSEILS DE SÉCURITÉ

Refaire vos sols et bricoler un peu partout dans la maison impliquent de se pencher souvent, et de se défendre contre bon nombre de portes qui vous guettent traîtreusement ouvertes. Pensez-y ! Évitez de relever brusquement la tête quand vous vous remettez debout. Rien de tel qu'un mauvais coup sur le crâne pour calmer votre récurage herculéen des écuries d'Augias.

Quand vous vous frottez à tout ce qui est bois, que vous le découpiez avec une scie électrique ou le ponciez avec du papier de verre, protégez vos yeux. Vous ne pouvez jamais prévoir quand une mesquine écharde viendra se loger sous votre paupière. Si vous utilisez des outils bruyants, mettez un casque pour protéger vos oreilles.

Soulever de lourdes boîtes, caisses ou meubles n'est pas rien ! Accroupissez-vous, gardez le haut du corps bien droit, sollicitez vos jambes pour soulever, pas votre dos. Vous vous éviterez ainsi un horrible lumbago et deux semaines d'alitement.

# NETTOYER LE GARAGE

Quand on parle de ranger la maison, rien ne terrorise plus l'homme que l'idée de nettoyer le garage. Il se souviendra de ce qu'il y a laissé s'accumuler depuis un an au bas mot : piles de manuels de bricolage, projets avortés, baskets moisies, outils de jardin démantibulés, et la liste n'est pas close. Les garages sont si souvent bourrés de cochonneries qu'on ne peut même plus y rentrer sa voiture. Si cette description touche chez vous une corde sensible, il est temps de retrousser vos manches.

| *L'équipement* | LA MÉTHODE |
|---|---|
| **Un plan** | **1** La première chose à faire dans une situation catastrophique, c'est l'évaluer avec justesse. Divisez mentalement le garage en quatre ou cinq zones plus petites et concentrez-vous sur une zone à la fois. |
| **Des sacs en plastique ou des sacs-poubelle** | |
| **Un vide-grenier** | **2** Triez ce que vous trouvez en trois tas : vide-grenier éventuel, ordures ou à garder |
| **Étagères, placards, crochets et tiroirs** | **3** Inscrivez-vous rapidement au prochain vide-grenier de votre commune. C'est un moyen vraiment génial de gagner un peu d'argent et, pourquoi pas, de rencontrer de jolies filles ! Ne soyez pas trop gourmand sur vos prix : le but premier et essentiel, c'est quand même de vous débarrasser de vos vieilleries (sans en rapporter d'autres…). |
| **Balai** | |
| **Brosse à récurer** | |
| **Nettoyant pour four** | |
| **Plusieurs jours, à plein-temps** | |
| | **4** Triez ce que vous ne voulez plus (vous verrez, c'est considérable) : recyclez, jetez ou donnez à des œuvres de charité. |
| | *suite page de droite* |

*suite*

**5** Tout ce que vous gardez doit être placé selon son usage (par exemple, les outils de jardin à un endroit, les équipements de sport à un autre). Envisagez étagères, placards et tiroirs supplémentaires pour dégager le sol et ranger de façon rationnelle (voir p. 14). C'est particulièrement important pour vos outils, qui peuvent être suspendus à des crochets fixés sur une plaque de contreplaqué à trous au-dessus de l'établi. Les équipements de sport peuvent être mis dans des sacs en filet attachés à des crochets, ou posés sur des étagères en métal.

**6** Une fois le contenu de votre garage jeté, rangé, trié ou vendu , il est temps de balayer la poussière et d'enlever les toiles d'araignées. Ensuite brossez le sol et mettez du décapant pour four sur les taches d'huile rebelles.

## FAITES / NE FAITES PAS

☑ Pas le moindre bout de papier, lambeau de tissu, fragment d'objet ou truc non identifié ne doit vous échapper.

☒ Ne montez pas d'étagères, de placards ou de râteliers qui gêneraient le passage de la voiture, ou la bonne ouverture des portières une fois entrée dans le garage.

☒ Ne vous attendrissez pas sur vos cochonneries. Si une vieille chaise que vous aviez l'intention de restaurer croupit dans le garage depuis plus de trois ans, débarrassez-vous d'elle sans hésiter.

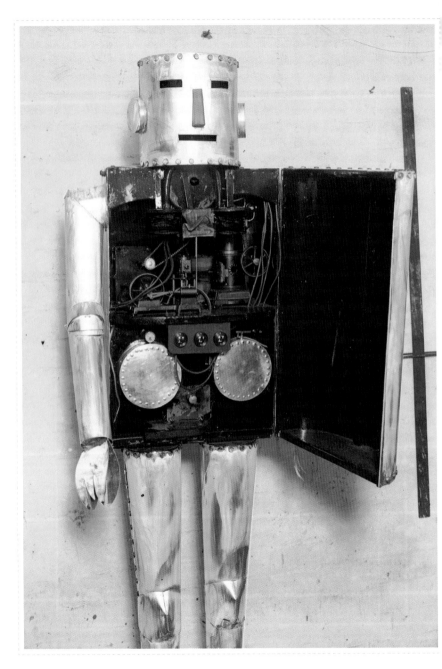

# L'ENTRETIEN

## DES

# APPAREILS MÉNAGERS

Les appareils ménagers ne sont pratiques que lorsqu'ils fonctionnent. Hélas, ils refusent souvent de vous obéir. Certes, cela peut être l'occasion rêvée de sortir vos outils, mais attention au revers de la médaille : ça vous met à bout l'être le plus placide. Néanmoins, savoir quoi faire quand le lave-vaisselle rend l'âme après une méga fête vous garantira des amitiés indéfectibles, même si vous vous contentez de déclarer que la machine est fichue et doit être remplacée... les femmes aiment les hommes qui prennent les choses en main.

# COMMENT ÇA MARCHE ET QUE FAIRE SI ÇA NE MARCHE PAS

À moins que vous ne cuisiez votre viande au feu de bois, ne laviez vos sous-vêtements à la main et ne rafraîchissiez votre bière dans l'eau d'un torrent, vous aurez besoin de quelques appareils. Comme tout homme qui se respecte, vous voudrez savoir exactement où vous mettez les pieds quand vous vous retrouvez face à un four à micro-ondes, un sèche-linge ou un aspirateur.

Les appareils fonctionnent soit à l'électricité, soit au gaz. Avant que vous ne commenciez à démantibuler votre machine à laver, il est très utile de savoir comment circule l'électricité dans votre maison. Il est également judicieux de posséder un voltmètre. Vous utiliserez cet outil simple et bon marché pour vérifier si un appareil reçoit du courant (ou pas), et vous vous épargnerez ainsi beaucoup de temps et d'ennuis. Surtout si le problème se résume à un simple changement de cordon d'alimentation.

De nos jours, la plupart des appareils ménagers sont bien conçus et sûrs, mais sachez aussi qu'un engin récalcitrant peut très souvent être réparé sans trop d'efforts. Pas besoin d'un doctorat en astrophysique, un mode d'emploi suffira (mais il est essentiel). Cela dit, nous, les hommes, sommes pleins de ressources et, parfois, la meilleure sera d'appeler un professionnel, surtout si votre savoir-faire est susceptible d'occire à tout jamais votre gadget.

## ÉLECTRICITÉ ÉLÉMENTAIRE

Quand vous travaillez sur un appareil électrique, il est fondamental de couper le courant avant d'utiliser un tournevis. Des milliers de volts traversant votre corps, voilà qui est mauvais pour vos cheveux (ou votre santé sur le long terme). Pour simplifier, l'électricité entre dans une maison par deux ou trois lignes principales qui véhiculent environ 240 volts vers les divers prises, lampes et appareils de la maison.

Cette énergie est d'abord conduite vers un compteur, où elle est mesurée (en ampères). Celui-ci comporte un disjoncteur et les fusibles. De l partent divers circuits répartis dans les pièces et appareils de la maison. Par exemple, plusieurs prises d'une même pièce seront sur un seul circuit, tandis qu'un gros appareil, disons le four, disposera de son circuit personnel.

Les appareils peuvent s'arrêter si un circuit est surchargé (trop d'appareils sur le même circuit), s'il se produit un court-circuit dans votre installation, ou bien dans le cordon de votre appareil lui-même (attention, danger, on le repère par une odeur de brûlé ou un fil dénudé).

Si un circuit est surchargé, le fusible correspondant sautera, ou le disjoncteur entrera en action, coupant ainsi instantanément l'alimentation électrique. Pour remettre le compteur en marche, il suffit d'enfoncer le bouton du disjoncteur (c'est celui qui dépasse sur le compteur). S'il s'agit d'un fusible, il faut le remplacer, puis veiller à ne plus surcharger le circuit.

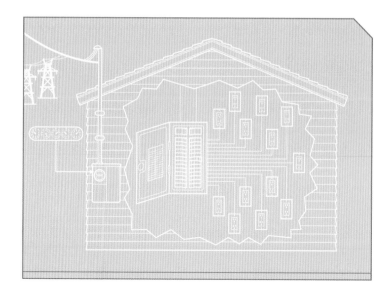

# LE LAVE-VAISSELLE

Tant pis pour ce que vous dit votre maman, si la vaisselle qui sort du lave-vaisselle n'étincelle pas, cela ne signifie pas toujours qu'il faut ajouter du liquide de rinçage. La programmation ne fonctionne peut-être pas correctement, du coup le compartiment à détergent ne s'ouvre pas au bon moment, ou la valve d'arrivée d'eau est cassée, ou bien encore le tuyau d'alimentation est bouché et empêche l'eau d'arriver en quantité suffisante.

| *L'équipement* | **C O M M E N T   F A I R E** |
|---|---|
| **Mode d'emploi** | **1** Si le compartiment à détergent ne s'ouvre pas, il sera encore fermé à la fin du cycle de votre machine. Si c'est le cas, cela signifie en général que le bouton de programmation a mal fonctionné et doit être remplacé. |
| **Tournevis** | |
| **Nouveau bouton de programmation** | |
| **Nouvelle valve d'arrivée d'eau** | **2** Avant tout, débranchez le lave-vaisselle, ou bien retirez le fusible correspondant à la prise sur votre compteur. |
| | **3** Le boîtier de programmation est situé derrière le bouton de programmation qui se trouve sur le bandeau de commande de l'appareil. Reportez-vous au mode d'emploi et retirez le bouton. |
| | **4** Repérez les vis qui fixent le bandeau de commande sur la porte et retirez-le. |
| | **5** En principe, le bouton de programmation est vissé à l'appareil et relié à des fils. Dévissez et débranchez les fils (voir Fig. A). |

*suite page de droite*

*suite*

**6** Une fois l'ancien bouton de programmation retiré, remplacez-le par le nouveau en répétant l'opération ci-dessus en sens inverse.

**7** Si le compartiment à détergent s'ouvre correctement et que la vaisselle est toujours mal lavée, vérifiez que le lave-vaisselle est correctement alimenté en eau. Sinon, trouvez la valve d'arrivée d'eau en consultant votre mode d'emploi.

**8** Si la valve est endommagée, si les vis sont rouillées ou s'il reste de l'eau stagnante, il faut la remplacer.

**9** Débranchez le lave-vaisselle ou retirez le fusible correspondant sur votre compteur. Fermez le robinet d'arrivée d'eau.

**10** Retirez le tuyau et le collier de serrage qui sont fixés sur la valve, ainsi que les vis qui attachent la valve à votre appareil (voir Fig. B.).

**11** Une fois le tuyau retiré, vérifiez s'il y a de la corrosion ou quelque chose qui coince. Enfoncez votre tournevis dans l'orifice pour explorer et libérer ce qui serait bloqué à l'intérieur, puis placez le tuyau au-dessus d'une cuvette et rincez pour voir s'il sort quelque bricole.

**12** Pour finir, remplacez la vieille valve par une neuve, et remontez le tout.

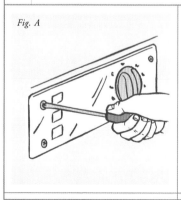

*Fig. A*

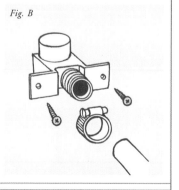

*Fig. B*

# RÉPARER VOTRE
# MACHINE À LAVER

La machine à laver est vraiment l'appareil ménager que personne ne veut voir tomber en panne. Qui a envie de se traîner à la laverie ou, summum de l'abjection, de se résoudre à porter des vêtements sales ? Ne dramatisons pas, souvent quand la panne pointe son nez, le remède est à portée de main.

| *L'équipement* | COMMENT FAIRE |
|---|---|
| **Petite cuvette** | **1** Si la machine ne se vide pas, vérifiez que le tuyau de vidange n'est ni entortillé, ni plié, ni coincé, pour empêcher l'eau de s'écouler. |
| **Tournevis** | |
| **Mode d'emploi** | **2** Videz autant d'eau que possible, avec l'ustensile le plus adapté (casserole, cuvette, louche). |
| | **3** Décrochez le tuyau, placez-le au-dessus d'une cuvette. Cherchez si une chaussette aventureuse ou un mouchoir ne s'y seraient pas faufilés, bref, débouchez si nécessaire. |
| | **4** Si le tuyau est vide, il peut y avoir quelque chose qui bloque la pompe. Dans ce cas, il faut consulter votre mode d'emploi. |
| | **5** Si la machine ne se remplit pas, vérifiez que le tuyau d'arrivée d'eau n'est ni bouché, ni entortillé. Si ce n'est pas le cas, retirez-le pour aller inspecter les filtres à l'intérieur des valves à l'arrière de votre machine. |
| | **6** Ne retirez pas les filtres en forme de cône, mais nettoyez les impuretés déposées. |

# RÉPARER VOTRE SÈCHE-LINGE

Si votre sèche-linge couine et gigote comme s'il faisait des montagnes russes, il faut en prévoir un nouveau qui vous séchera vos vêtements sans faire un pli tout en vous mixant un bon cocktail. Ou plus simplement, la courroie d'entraînement est détendue : ce n'est rien du tout à réparer.

## *L'équipement*

**Mode d'emploi**

**Tournevis**

**Nouvelle courroie**

## COMMENT FAIRE

1. Débranchez l'appareil.

2. Dévissez le panneau du dessus de l'appareil. Retirez-le. Faites de même pour le panneau de devant, et le socle, s'il y en a un.

3. Maintenant, vous devriez voir le tambour : la courroie en épouse le contour et est reliée à un moteur fixé à la base de votre sèche-linge.

4. Retirez la courroie détendue ou cassée, en repérant bien comment et où elle était fixée.

5. Remplacez la courroie endommagée par une nouvelle que vous fixerez autour du cylindre (les rainures de la courroie vers l'intérieur).

6. Revissez le socle, le panneau de devant et, bien entendu, celui du dessus.

### ASTUCE

☑ Parfois, à gros problème, solution simple. Si votre sèche-linge n'a pas l'air de fonctionner aussi bien qu'il le devrait, il est possible que ce soit l'évacuation. Vérifiez que le tuyau n'est ni bouché ni entortillé.

# DÉBOUCHEZ LES BRÛLEURS

Si vous avez l'intention de préparer chez vous des dîners en prévision de tête-à-tête langoureux, assurez-vous que la gazinière est propre et que tous les brûleurs sont nets. En effet, les impuretés et la graisse peuvent s'accumuler et gêner l'arrivée de l'air nécessaire à une bonne combustion.

## *L'équipement*

**Trombone**

**Eau savonneuse (chaude)**

**Brosse à ongles**

## COMMENT FAIRE

**1** Pour récupérer des brûleurs d'une gazinière qui ne s'allument pas ou ne s'allument que partiellement, soulevez et enlevez la grille qui sert à poser les casseroles pour accéder aux brûleurs eux-mêmes. Prenez délicatement le brûleur dans votre main, soulevez-le et retirez-le. Nettoyez l'espace que vous découvrirez en dessous pour retirer toutes les impuretés (utilisez au choix : une éponge, un chiffon, une lingette, ou vos doigts).

**2** Servez-vous d'un trombone que vous aurez détordu pour retirer graisse et saletés des petits trous sur les côtés des brûleurs, afin que le gaz puisse s'échapper librement.

**3** Si cela ne suffit toujours pas, continuez de vous acharner sur les logements de chaque brûleur, après avoir retiré les anneaux métalliques placés sous chacun des brûleurs, et frottez, récurez encore et encore autant que vous pourrez.

*suite page de droite*

*suite*

**4** Faites tremper le brûleur et l'anneau dans de l'eau chaude avec du détergent. Récurez à la brosse à ongles. Prenez du décapant à four dans les cas graves.

**5** Débouchez correctement les arrivées du gaz (petit trou) qui aboutissent à chaque brûleur avec votre trombone.

**6** Attendez que vos brûleurs et anneaux soient bien secs avant de les remettre en place.

## FAITES / NE FAITES PAS

☑ Aérez bien la pièce si vous sentez la moindre odeur de gaz.

☒ N'allumez rien si une forte odeur de gaz règne dans la pièce.

# LE FOUR À MICRO-ONDES

Si le ventilateur souffle, si la lumière est allumée dans votre four à micro-ondes mais qu'il refuse obstinément de réchauffer votre dîner, il est probable qu'il vous faudra remplacer le transformateur. Comme d'habitude, débranchez votre patient, et si cette réparation vous semble trop risquée, appelez un pro sans hésiter.

| *L'équipement* | LA MÉTHODE |
|---|---|
| **Mode d'emploi** | **1** Débranchez l'appareil. |
| **Tournevis avec poignée isolante** | **2** Repérez le condensateur (souvent derrière le panneau latéral près du panneau de commande). |
| **Nouveau transformateur** | **3** Déchargez-le en plaçant la pointe d'un tournevis avec manche isolant sur les deux bornes simultanément (un « pop » doit se produire). |
| | **4** Débranchez tous les fils électriques reliés au transformateur (il devrait y en avoir quatre : deux qui entrent et deux qui sortent). |
| | **5** Dévissez les vis qui fixent le transformateur au corps du four à micro-ondes |
| | **6** Fixez le nouveau transformateur et reconnectez les fils exactement comme ils l'étaient sur l'ancien transformateur. |

**FAITES / NE FAITES PAS**

☑ S'il y a trois bornes sur le condensateur, surtout assurez-vous de bien toucher les trois en même temps.

# COMMENT DÉGIVRER UN RÉFRIGÉRATEUR/CONGÉLATEUR

De temps à autre le compartiment congélation de votre réfrigérateur est tellement bourré de givre que vous ne pouvez plus y entreposer vos délices glacés. Voici comment dégivrer et nettoyer en une seule séance.

| *L'équipement* | LA MÉTHODE |
|---|---|
| **Glacière portative** | **1** Retirez tous les aliments et placez-les dans une glacière. Mettez le thermostat à zéro. |
| **Récipient métallique assez petit pour tenir dans le congélateur** | **2** Faites bouillir de l'eau et remplissez-en le récipient en métal. Mettez-le dans le congélateur. |
| | **3** Posez une serpillière sur le sol devant le réfrigérateur pour absorber l'eau qui va couler. |
| **Bouilloire** | |
| **Eau bouillante** | **4** Remettez de l'eau bouillante dans le récipient dès que celle-ci refroidit. Au bout de trois heures, vous réussirez à détacher de gros morceaux de glace des parois du congélateur. |
| **Serpillière** | |
| **Éponge** | |
| **Environ 7 heures** | **5** Quand toute la glace sera retirée, passez un coup d'éponge imbibée d'un peu d'eau de Javel. |
| | **6** Remontez le thermostat, fermez la porte et attendez deux heures avant de remettre les aliments. |

**FAITES / NE FAITES PAS**

**X** Pour retirer la glace des parois, n'utilisez pas de couteau ou autre objet acéré qui pourrait perforer l'appareil et entraîner une fuite du gaz réfrigérant.

# L'ASPIRATEUR

Quand vous humerez par bouffées une odeur pestilentielle de cheveux grillés mêlée à celle du plastique surchauffé, vous saurez que c'est le moment de changer la courroie de transmission – c'est de la « gnognotte », comme réparation –  et plus vite vous le ferez, moins votre appareil souffrira. Si votre aspirateur refuse malgré cela de fonctionner, vérifiez les circuits et regardez si un fusible n'est pas grillé. S'il aspire comme un vieillard cacochyme, il existe quelques trucs pour y remédier.

## LA MÉTHODE

1. S'il aspire mal, il n'a peut-être besoin que de petites réparations. Si un fil électrique est effiloché et ne se raccorde pas bien, reliez de nouveau les fils et entourez l'endroit de la réparation d'une bonne quantité d'adhésif isolant.

2. Vérifiez que le tuyau souple n'est pas troué. Si c'est le cas, entourez-le généreusement du même adhésif aux endroits endommagés.

3. Changez les sacs à poussière bourrés et les filtres engorgés car ils réduisent vraiment la puissance d'aspiration.

4. Vérifiez que la brosse ronde située sous l'aspirateur – techniquement, un agitateur – tourne bien. Sinon, c'est que la courroie à laquelle elle est reliée est cassée, ou que des cheveux ou du fil s'y sont enroulés, l'empêchant de fonctionner. Cela peut finir, à la longue, par griller un moteur.

5. Certains appareils avec agitateurs et brosses ont besoin d'être réglés à une hauteur précise par rapport au sol. S'ils sont trop près, la puissance d'aspiration s'en trouvera atténuée. Vérifiez et réglez.

6. Si vous avez un modèle avec tuyau souple, vérifiez bien que rien ne le bouche.

# NETTOYER UN FER À REPASSER

Le meilleur moyen de garder des appareils en bon état de marche est de les tenir propres. Cela s'applique aussi à votre fidèle fer à repasser vapeur. Cependant, s'il ne chauffe plus ou chauffe comme un fou, il est fort probable qu'il faudra le confier à un professionnel qui saura farfouiller dans la semelle pour remplacer la résistance ou régler le thermostat.

| *L'équipement* | **LA MÉTHODE** |
|---|---|
| **Vinaigre blanc** | **1** Si le fer crache trop de vapeur en chauffant, il est possible que les trous pour le passage de la vapeur soient encrassés et entartrés. |
| **Grille de votre four** | |
| **Cure-dents** | **2** Pour résoudre ce problème, videz l'eau du fer et remplissez-le de vinaigre blanc. |
| **Tampon métallique** | |
| | **3** Branchez le fer et réglez-le sur « lin ». Posez-le à plat sur la grille du four et sur l'évier, ou sur toute autre grille dont vous disposez, afin que la vapeur puisse s'échapper. |
| | **4** Une fois que toute la vapeur s'est échappée, débouchez les trous avec un cure-dents. |
| | **5** Pour retirer les matières brûlées et collées sur la semelle, éteignez le fer. Trempez un fin tampon métallique dans le vinaigre blanc et frottez-en la semelle jusqu'à ce qu'elle brille. |

## FAITES / NE FAITES PAS

[X] L'eau du robinet est souvent très calcaire. Si vous en remplissez votre fer, celui-ci aura tendance à se boucher rapidement. Utilisez de préférence l'eau distillée pour éviter ce désagrément.

# 3

# LE GRAND NETTOYAGE

Nous avons du mal à l'admettre, bien sûr, mais nous savons tous qu'une femme ne mettra pas les pieds dans une maison crasseuse. Le ferait-elle, il est plus que probable qu'elle ne reviendrait pas, malgré vos promesses de nettoyer la salle de bains. Il vous faut donc choisir : briquer un peu ou passer seul vos plus belles années, dans un désordre d'une saleté repoussante.

# BIEN UTILISER LES PRODUITS NETTOYANTS

Bien des tâches domestiques requièrent des produits spécifiques et il en existe des quantités. Faire le bon choix dépend donc des usages auxquels vous les destinez, voici pourquoi vous devez assimiler quelques rudiments de chimie. En général, saleté et taches contiennent une quantité d'acide variable, donc les nettoyants aussi. Ça se corse : pour vous débarrasser d'une tache très acide, comme la graisse, il faut utiliser un produit à basse teneur en acide, c'est-à-dire alcalin. La réaction chimique entre les concentrations d'acides différentes neutralise la tache, et vous n'avez plus qu'à l'essuyer. Souvenez-vous de cela : les contraires s'attirent. Mais pas d'affolement, pour la vie quotidienne il existe des détergents polyvalents, à teneur en acide moyenne. Vous pourrez vous en servir un peu partout, sauf pour les cas difficiles qui seront traités à part.

---

☑ **À nettoyer :** éviers, toilettes, lavabos, baignoires, douches
**Utilisez :** détergent multi-usages ou désinfectant

☑ **À nettoyer :** carreaux de cuisine et salle de bains avec leurs joints en ciment
**Utilisez :** désinfectant à base d'eau de Javel

☑ **À nettoyer :** appareils ménagers (cuisine)
**Utilisez :** produit dégraissant

☑ **À nettoyer :** fenêtres et portes vitrées
**Utilisez :** nettoyant à vitres à base d'alcool

☑ **À nettoyer :** sols en carrelage (céramique)
**Utilisez :** produit avec ammoniaque

☑ **À nettoyer :** bois
**Utilisez :** eau ou produit spécial au rayon bois

# VOS OUTILS POUR NETTOYER

D'accord, rapporter un balai à la maison ne réjouit pas le cœur de l'homme comme l'acquisition d'une perceuse dernier modèle, mais il ne faut pas faire la fine bouche : un outil approprié vous rendra la tâche beaucoup plus facile, ne fût-ce que passer la serpillière dans la salle de bains.

## *l'équipement*

**Balai brosse à poils souples**

**Balai serpillière à lanières + seau spécial à essorer**

**Aspirateur**

**Seau**

**Brosse dure**

**Brosse à récurer**

**Plusieurs éponges, avec ou sans face grattante**

**Serpillières**

**Papier essuie-tout**

**Gants de ménage en caoutchouc**

**Pelle et brosse à poussière**

**Raclette**

**Chiffon à poussière**

## LA MÉTHODE

1. Il faut attribuer un placard spécial au rangement de votre matériel et des produits. Installez des étagères et fixez des crochets pour poser et suspendre les ustensiles ; le sol sera ainsi dégagé.

2. Ayez toujours deux seaux sous la main – l'un pour le détergent, l'autre pour l'eau de rinçage. Après utilisation, rangez-les l'un dans l'autre et déposez à l'intérieur serpillières, gants en caoutchouc, chiffons et papier essuie-tout.

# PRENDRE DES HABITUDES

Pour rendre le ménage plus supportable, il est important que vous puissiez créer votre routine. Ainsi le bazar, les vêtements et la crasse ne s'accumuleront pas. Vous n'y passerez plus tout le week-end pour essayer d'en sortir, mais à peine quelques heures par semaine.

## LA MÉTHODE

1. Divisez le ménage en quatre groupes distincts : ce que vous pouvez faire dans la journée, chaque soir, une fois par semaine, et une fois par mois ou tous les deux ou trois mois.

2. Le ménage de la journée inclut la vaisselle après chaque repas, le nettoyage de la cuisinière après avoir cuisiné, le rangement de tout ce qui traîne et bien sûr faire le lit.

3. Vos activités du soir : ranger le chantier de la journée, nettoyer les plans de travail de la cuisine, balayer (si vous avez du parquet) et rapporter à la cuisine verres et vaisselle vagabonds.

4. Une fois par semaine, faites la poussière, passez la serpillière et l'aspirateur, rendez votre salle de bains rutilante.

5. Une fois par mois, ou tous les quinze jours, votre ménage s'enrichit du nettoyage du four, du récurage des carreaux de la salle de bains, d'un minitoilettage du garage, d'un petit rangement de la penderie et d'un lavage des vitres.

## ASTUCE

☑ Une bonne habitude à prendre pendant votre ménage hebdomadaire est de vous consacrer à une zone particulière de la maison – vous établirez vous-même vos rotations – en plus de votre programme normal poussière/balayage/serpillière/aspirateur/salle de bains. Vous bouclerez du même coup l'hebdomadaire et le mensuel de chaque pièce.

# PAR OÙ COMMENCER

Au lieu de courir dans tous les sens en vous jetant sur tout ce qui traîne avec votre chiffon à poussière, restez calme et établissez une marche à suivre. Sinon, vous risquez de ressalir ce que vous venez de nettoyer.

## MÉTHODE

**1** Avant toute chose, faites donc le lit dont vous venez de vous extraire (voir p. 46). Et hop, voilà déjà une bonne chose de faite.

**2** Si c'est un jour de gros ménage, faites donc partir une machine à laver pour vous mettre en train, elle tournera pendant que vous vous affairez.

**3** Passez un de vos CD préférés sur votre chaîne, bien fort.

**4** Ramassez tout ce qui traîne par terre : il ne doit y rester que vos tapis (si vous en avez).

**5** Puis brandissez votre chiffon à poussière et passez-le sur toutes les surfaces : rebords de fenêtres, cadres, dos de canapés. Ne vous inquiétez pas de tout ce qui tombe par terre.

**6** Balayez et aspirez. Appliquez-vous surtout sur la salle de bains et la cuisine. De cette manière, quand vous aurez fini de nettoyer plans de travail, évier, toilettes et douche vous pourrez passer la serpillière sur les éclaboussures d'eau.

**7** Nettoyez les toilettes, puis attaquez-vous à la baignoire/douche et au lavabo. Ainsi, si vous y rincez vos éponges qui ont servi pour les toilettes, vous nettoierez celui-ci en dernier.

**8** Nettoyez dans la cuisine : plans de travail, cuisinière et appareils.

**9** Passez la serpillière sur tous vos sols carrelés/durs.

**10** Rangez tout votre arsenal.

**11** Offrez-vous au moins une bière.

# SAVOIR FAIRE VOTRE LIT

Les experts prônent que le premier pas vers l'ordre est de faire son lit. Si vous en êtes capable chaque matin juste après vous être levé (ou peut-être après un petit café, quand même), il y aura toujours chez vous cette petite oasis de calme.

| *L'équipement* | **LA MÉTHODE** |
|---|---|
| **Un drap-housse propre** | **1** Tout d'abord, placez un drap-housse sur le matelas, en fixant d'abord les coins au niveau des pieds, puis ceux de la tête. |
| **Un drap de dessus propre** | **2** Étalez un drap de dessus sur le matelas de sorte que les côtés retombent à la même longueur et que le drap remonte bien jusqu'à la tête de lit. Laissez-le pendre au pied du lit (voir Fig. A). |
| **Couvertures en nombre variable, au choix** | |
| **Des oreillers propres** | **3** Bordez maintenant le drap au pied du lit, puis sur les côtés (voir Fig. B). |
| **Un édredon, un jeté de lit ou autre dessus-de-lit** | **4** Placez de la même façon les couvertures selon choix et saison, sans aller jusqu'à la tête de lit, et repliez le drap pour disposer ainsi d'un rabat (voir Fig. C). |
| | **5** Étalez votre dessus-de-lit sur le tout, comme vous avez étalé le draps de dessus. Vérifiez bien qu'il remonte jusqu'à la tête de lit, repliez-le. Le rabat doit correspondre à la taille de vos oreillers. |

*suite page de droite*

*suite*

**6** Placez vos oreillers de sorte qu'ils dépassent sur le rabat, vous allez comprendre pourquoi.

**7** Rabattez – gardez un peu d'étoffe sous les oreillers – et bordez à la tête de lit (voir Fig. D).

**8** Tapotez et aplatissez pour enlever les plis.

## A S T U C E

☑ Vous pouvez faire votre lit tout seul, mais c'est toujours plus facile à deux. Surtout si vous le faites avec la personne qui partage votre lit. Cela ne devrait pas vous prendre plus de cinq minutes.

*Fig. A*

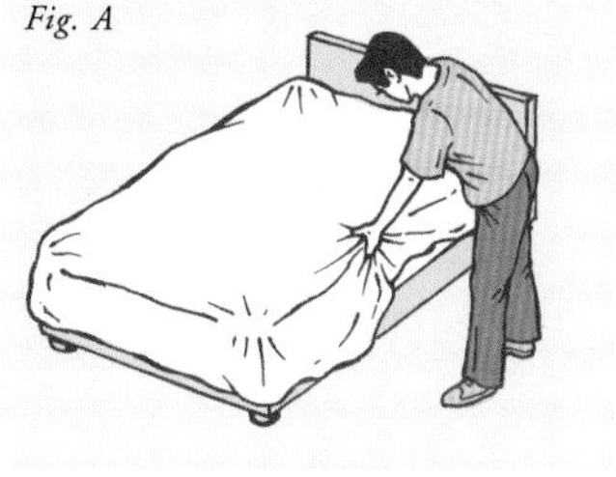

*Fig. B*

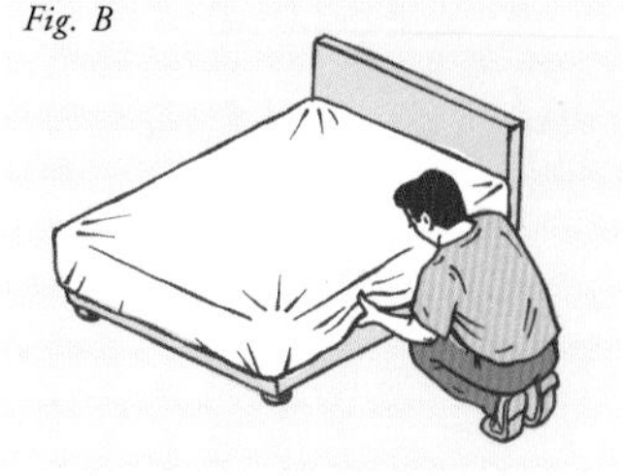

*Fig. C*

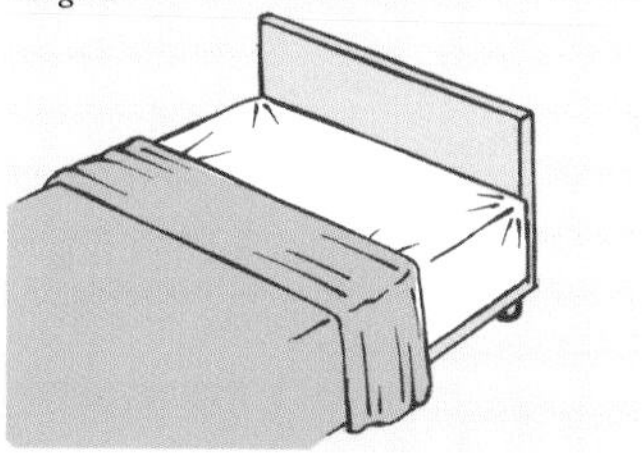

*Fig. D*

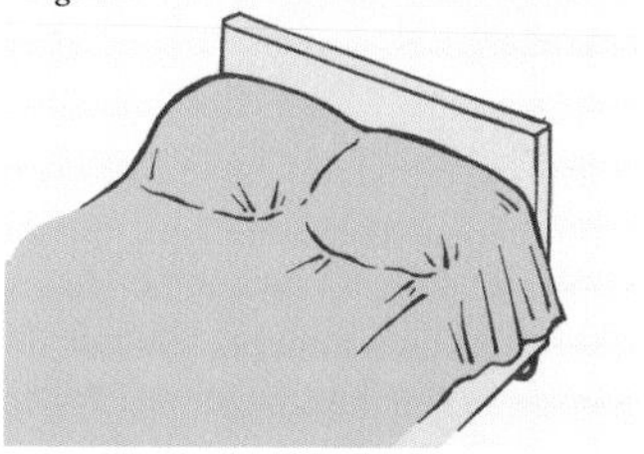

# NETTOYER LES TOILETTES

Certes, ce n'est pas la tâche la plus glorieuse, mais un homme sait affronter l'adversité, surtout s'il a dans l'idée d'inviter une femme chez lui. Allez, enfilez vos gants en caoutchouc, respirez un bon coup, empoignez votre éponge et commencez à frotter.

| *L'équipement* | **LA MÉTHODE** |
|---|---|
| **Gants en caoutchouc** | 1. Enfilez vos gants. Vaporisez ou versez le détergent à l'intérieur et à l'extérieur de la cuvette. |
| **Détergent multi-usages avec Javel** | 2. Avec votre éponge, essuyez tout ce qui est à l'extérieur de la cuvette, y compris le rebord, la lunette et le couvercle du siège. |
| **Éponge** | 3. À l'aide de la brosse, grattez énergiquement l'intérieur de la cuvette, en insistant sous les rebords et dans le fond. |
| **Brosse pour toilettes** | |
| **Vinaigre blanc** | 4. Si un vilain cerne de crasse persiste dans vos toilettes, fermez le robinet d'arrivée d'eau et tirez la chasse. Versez du vinaigre blanc jusqu'à hauteur du cerne. Laissez agir quelques heures, puis frottez énergiquement. Ouvrez l'eau de nouveau et tirez la chasse. |

**MÉTHODE EXPRESS**

☑ Si vous êtes en retard pour aller prendre un pot et que vous n'avez pas nettoyé vos toilettes, versez-y 50 ml d'eau de Javel et laissez agir jusqu'à votre retour. La cuvette devrait être en meilleur état quand vous reviendrez.

# NETTOYER ÉVIERS ET BAIGNOIRES

Les anneaux de crasse dans les baignoires et les dépôts dans les éviers sont dus aux accumulations successives de graisse et de saleté. Ils peuvent devenir épouvantables si vous habitez dans une zone où l'eau est calcaire ou très minéralisée.

## *L'équipement*

**Seau**

**Détergent multi-usages non-abrasif**

**Brosse à récurer à poils nylon**

**Chiffon sec**

**Vinaigre blanc**

**Éponge**

**Bicarbonate de soude**

**En option :**

**Adoucisseur d'eau**

## LA MÉTHODE

1. Remplissez un seau d'eau chaude où vous diluerez votre détergent.

2. Avec la brosse nylon, frottez l'évier, les parois et le fond de la baignoire, les robinets, pour retirer les dépôts et les cernes de crasse.

3. Rincez tout à l'eau claire et essuyez.

4. Pour éliminer les traces rebelles dans les baignoires en fibre de verre, frottez avec du vinaigre blanc pur sur une éponge. Rincez.

5. Pour annihiler les dépôts dans l'évier, saupoudrez du bicarbonate, laissez agir quinze minutes et rincez. Essuyez avec un chiffon propre : ça brille.

6. Si l'eau est très dure dans votre région, envisagez l'acquisition d'un adoucisseur d'eau.

## FAITES / NE FAITES PAS

[X] N'utilisez pas de détergent abrasif sur une baignoire en porcelaine : vous allez la rayer, et saleté et calcaire s'incrusteront bien plus vite que sur une surface lisse.

# NETTOYER LA DOUCHE

Ce serait un véritable plaisir de nettoyer les carreaux de la salle de bains s'il n'y avait pas les joints en ciment qui attirent indéniablement les vilaines moisissures.

| *L'équipement* | LA MÉTHODE |
|---|---|
| **Nettoyant à carrelage avec eau de Javel** | **1** Vaporisez une bonne quantité de produit nettoyant sur les joints entre les carreaux et laissez agir deux minutes. |
| **Gants en caoutchouc** | **2** Enfilez vos gants, et avec votre petite brosse (ou vieille brosse à dents) grattez les joints jusqu'à ce qu'ils soient propres |
| **Vieille brosse à dents ou petite brosse dure** | **3** Essuyez carreaux et joints avec une éponge humide. |
| **Éponge** | **4** Rincez le tout à l'eau claire. |
| | **5** Pour nettoyer des rideaux de douche remplis de dépôts, mettez-les dans la machine à laver avec quelques serviettes éponge et ajoutez 125 ml de vinaigre blanc ou de Javel. Programmez un cycle sans essorage. Sortez vos rideaux et raccrochez-les dans la douche où ils sécheront tranquillement. |

### ASTUCE

☑ Si vous n'avez pas de produit nettoyant pour carrelages, fabriquez votre produit maison en diluant 250 ml de Javel dans un litre d'eau.

# NETTOYER UN FOUR

Bien qu'un four ne se nettoie pas une fois par semaine, ou même une fois par mois (surtout pour ceux qui ne s'en servent jamais), cette corvée n'en est pas moins l'une des plus désagréables du labeur domestique pour deux raisons : 1) tout aliment qui a débordé devient noir et carbonisé, aussi dur que du ciment ; 2) les décapants pour le four sont les produits les plus toxiques qui soient. Votre meilleur atout, c'est la prévention.

## COMMENT PROCÉDER

**1** Si de la nourriture déborde, essuyez-la immédiatement, en prenant garde de ne pas vous brûler si le four est encore chaud.

**2** Si vous prévoyez des fuites, prenez la lèchefrite, couvrez-la d'une feuille d'aluminium et placez-la sous votre plat pour récupérer les débordements.

**3** Nettoyez le four avec du détergent dilué dans de l'eau chaude une fois par semaine, en vous servant d'un tampon métallique sur ce qui est incrusté. N'oubliez pas la porte. Vous vous épargnerez l'utilisation du décapant qui tue et empêcherez aussi l'accumulation de dépôts qui se carboniseraient irrémédiablement.

**4** Achetez un four autonettoyant et passez à la page suivante.

**5** Si vous devez malgré tout utiliser un décapant à four, vaporisez-le et laissez agir durant six heures avant de remonter vos manches, d'enfiler vos gants en caoutchouc et de récurer avec votre tampon métallique ou autre tampon gratteur costaud. Pendant cette opération, ouvrez portes et fenêtres pour ventiler votre cuisine. Quand tout est bien net, rincez votre four très soigneusement, ces produits sont VRAIMENT nocifs.

# BIEN FAIRE LA VAISSELLE

Laver la vaisselle à la main au lieu de la fourrer dans un lave-vaisselle, ce n'est pas si difficile que ça, surtout depuis qu'existent ces merveilleuses lavettes fixées à un manche distributeur de produit à vaisselle.

| *L'équipement* | **COMMENT FAIRE** |
|---|---|
| **Liquide vaisselle** | **1** Si vous travaillez en tandem, une personne peut commencer à laver pendant que l'autre range les restes et nettoie les plans de travail. |
| **La fameuse lavette avec manche et distributeur de produit** | **2** Si vous êtes tout seul, emballez les restes que vous voulez conserver. Débarrassez absolument les assiettes de tous les restes. |
| **Éponge normale** | |
| **Brosse en nylon ou tampon gratteur** | **3** Remplissez casseroles, poêles ou plats sales d'eau chaude avec du liquide vaisselle et laissez tremper pendant que vous faites autre chose. |
| **Égouttoir** | **4** Ouvrez votre robinet à un petit débit (n'exagérez pas, pas du goutte à goutte) et réglez aussi chaud que vous le supportez. |
| **Tampon métallique** | |
| **Petit seau (ou chien vivant) pour restes de nourriture** | **5** Passez l'objet sous le robinet et frottez à l'éponge (ou à la lavette) pour retirer toute trace. Utilisez la brosse pour ce qui adhère. |
| | **6** Rincez sous le robinet. Laissez sécher dans l'égouttoir sans entasser en équilibre précaire ! |
| | **7** Commencez par les assiettes, puis les verres et finissez par les couverts. |
| | *suite page de droite* |

*suite*

**8** Essuyez et rangez tout de suite les couteaux pointus, les verres à vin ou autres ustensiles particuliers plutôt que les laisser dans l'égouttoir.

**9** Après que les casseroles et les poêles ont bien trempé, utilisez un tampon métallique ou une brosse en nylon pour retirer les aliments incrustés (l'opération devrait être plus facile après le trempage). Ensuite nettoyez à l'éponge imbibée de liquide vaisselle et rincez sous le robinet.

**10** Quand la vaisselle est terminée, essuyez bien l'évier, les plans de travail et la table.

## FAITES / NE FAITES PAS

**[X]** N'essuyez pas la vaisselle, sauf si vous voulez de la compagnie, ou avez besoin de place. L'égouttoir est conçu pour que votre vaisselle sèche seule !

**[✓]** Portez des gants en caoutchouc, surtout si vous faites la vaisselle en compagnie… Les femmes trouvent cela terriblement sexy !

# BIEN FAIRE LES VITRES

Pourquoi ne voulons-nous pas faire les vitres ? Ce n'est pas parce que nous refusons de vaporiser un spray et d'essuyer. Non, cela, c'est facile. En fait, la vraie raison c'est que nous ne voulons pas nous arracher les cheveux à essuyer sans fin des traces qui refusent sadiquement de s'effacer.

| *L'équipement* | **COMMENT FAIRE** |
|---|---|
| **Chiffon à poussière** | **1** Tout d'abord, essuyez les rebords et encadrements qui pourraient retenir des saletés. |
| **Vinaigre blanc** | |
| **Alcool à 60°** | **2** Faites votre mixture maison de produit à vitres : versez vinaigre et alcool en quantités égales dans un demi-seau d'eau chaude. Transvasez avec un entonnoir dans un vaporisateur. |
| **Seau d'eau chaude** | |
| **Vaporisateur** | |
| **Serviette éponge propre (qui ne peluche pas)** | **3** Pour nettoyer vos vitres à l'intérieur, vaporisez le produit et essuyez. Utilisez une serviette éponge pour un séchage impeccable. |
| **Escabeau** | **4** Pour les vitres à l'extérieur, prenez le seau avec votre mixture et posez-le dehors. Vous aurez peut-être besoin d'un escabeau. |
| **Chiffon propre et sec (qui ne peluche pas)** | **5** Arrosez chaque vitre avec votre tuyau d'arrosage. Essuyez-la avec un chiffon qui a trempé dans la mixture, et séchez avec la serviette éponge. |

**A S T U C E**

☑ Il peut être judicieux de nettoyer vos vitres intérieures dans un sens horizontal, et les extérieures dans un sens vertical. S'il reste des traces, vous saurez ainsi tout de suite de quel côté elles se trouvent.

# RETIRER LA POUSSIÈRE

Dépoussiérer, comme balayer, passer la serpillière, faire la vaisselle et nettoyer la salle de bains est une corvée hebdomadaire indispensable.

| *L'équipement* | **COMMENT FAIRE** |
|---|---|
| **Plumeau ou moumoutte en laine** | **1** Commencez dans le coin d'une pièce, suivez la longueur du mur en dépoussiérant tout sur votre passage jusqu'à votre point de départ. |
| **Chiffon légèrement humidifié** | **2** Avec le chiffon ou le plumeau essuyez d'un geste régulier, très doucement. Si vous frottez frénétiquement, vous ne ferez que soulever la poussière qui se redéposera un peu plus tard. |
| **Manche à balai (en option)** | **3** Passez sur les rebords et encadrements de fenêtres, les cadres, meubles, abat-jour et toute surface plane sur votre chemin. |
| | **4** Vous pouvez sortir les coussins et ceux du canapé, les taper à la main ou avec le manche à balai pour les dépoussiérer. |
| | **5** Quand votre chiffon ou plumeau commence à être sale ou saturé de poussière, rincez ou secouez. Recommencez, inlassablement. |

**FAITES / NE FAITES PAS**

**X** N'utilisez pas de cire à meubles. Votre maison sentira comme chez votre grand-mère et la cire risque de laisser un dépôt qui sera pire que la poussière.

**✓** Soulevez les cadres, les bougies, les magazines, en gros, tout ce qui peut se soulever, et essuyez aussi dessous.

# L'ART DE BALAYER

On dit que dans la vie, comme dans le ménage, atteindre la plénitude implique de maîtriser d'abord les corvées les plus humbles. Comme tout nettoyage répétitif, le balayage peut devenir un processus de méditation et de libération de l'esprit, à savourer plutôt qu'à honnir.

## *L'équipement*

**Un bon balai à poils de nylon**

**Pelle avec brosse**

**Poubelle**

**Musique**

## COMMENT FAIRE

1. Toute opération de nettoyage qui se respecte doit se faire en musique. Si le côté méditatif du balayage vous dépasse, mettez du rock, sinon choisissez quelque chose d'harmonieux et suivez le rythme de votre balai.

2. Mettez les chaises sur les tables, et ce qui est au sol sur les lits et canapés. Ce processus sera d'autant plus allégé que vous aurez traité votre bazar avant (voir Chapitre 1).

3. À la différence de la serpillière, l'ordre des pièces n'a pas d'importance. Commencez en partant des coins et des plinthes, puis faites votre tas au milieu de la pièce. N'oubliez pas le petit rebord des plinthes.

4. Dirigez habilement le tas dans la pelle à poussière et videz dans la poubelle.

## FAITES / NE FAITES PAS

☑ Balayez sous les lits, derrière les canapés et sous les chaises.

☑ Retirez régulièrement (à la main) les moutons et les cheveux de votre balai.

# PASSER LA SERPILLIÈRE

Nul besoin d'être super qualifié pour accomplir cette tâche et, quel que soit votre style, sachez qu'un sol ainsi nettoyé fait très chic.

| *L'équipement* | **COMMENT FAIRE** |
|---|---|
| **Balai serpillière (à lanières) avec son seau spécial pour essorer** | **1** Si vous devez vous attaquer à un parquet, utilisez la serpillière à peine humidifiée, avec seulement de l'eau, pour ôter la poussière. |
| **Eau chaude** | **2** Commencez à l'opposé de la porte pour ne pas avoir à marcher sur ce que vous venez de nettoyer afin d'aller dans une autre pièce. |
| **Détergent multi-usages** | **3** Pour le carrelage et les sols plastiques, versez une petite quantité de détergent dans le seau avec grille à demi rempli d'eau chaude. Remplissez l'autre seau d'eau claire pour rincer. |
| **Seau normal** | |
| **Musique, évidemment** | **4** Trempez votre serpillière dans le seau et essorez-la sur la grille prévue à cet effet. |
| | **5** Passez la serpillière sur le sol en dessinant des huit de façon régulière. |
| | **6** Quand la serpillière est sale, rincez-la dans le seau d'eau claire, essorez, replongez-la dans le seau de détergent, essorez sur la grille et continuez le nettoyage du sol. |
| | **7** Quand vous avez terminé, rincez la serpillière une dernière fois et effectuez un dernier passage à l'eau claire pour éliminer tous les résidus de détergent. |

# CHOISIR L'ASPIRATEUR QU'IL VOUS FAUT

Choisir le bon aspirateur pour votre maison, c'est comme choisir la bonne tondeuse pour votre jardin. Allez donc au magasin d'aspirateurs, branchez-en quelques-uns et n'hésitez pas à les tester.

## L'ASPIRATEUR TRAINEAU

C'est le modèle d'aspirateur le plus courant, avec une infinie gamme de prix. Choisissez un modèle bien adapté à la surface de votre maison et, si une grande partie de vos sols est recouverte de moquette, ne lésinez surtout pas sur la puissance d'aspiration.

## L'ASPIRATEUR NETTOYEUR À VAPEUR

Nettement plus cher, mais il fait tout : nettoyage des vitres et du carrelage, shampooing de la moquette, aspiration des poussières et des liquides (il peut déboucher l'évier !), soufflage des feuilles mortes. Il ne lui manque que la parole… Il est pour vous si vous aimez VRAIMENT le ménage sophistiqué.

## L'ASPIRATEUR SANS SAC

Également plus cher que la moyenne, mais quelle satisfaction de ne plus avoir à penser à racheter des sacs d'aspirateur, si l'on a toutefois la chance d'en trouver de la bonne référence, après avoir perdu un temps fou à décrypter toutes les étiquettes sibyllines des sacs du magasin !

## L'ASPIRATEUR BALAI

Si vous disposez d'un petit budget et d'un petit appartement, voilà pour vous : l'aspirateur balai est peu encombrant et offre toute une gamme d'accessoires sympathiques.

# ASPIRER, RESPIRER

Maintenant que vous avez le bon engin, rapportez-le et branchez-le.

| *L'équipement* | **C O M M E N T   F A I R E** |
|---|---|
| **Aspirateur**<br><br>**Sol à aspirer** | **1** Avant tout, ramassez monnaie, faux ongles, soutiens-gorge et autres objets encombrants qui pourraient endommager l'appareil. |
| | **2** Aspirez toujours avec le fil derrière vous, pour ne pas avoir à l'enlever de votre chemin. |
| | **3** Faites des mouvements amples et souples, lentement, et non des allers-retours à toute vitesse. |
| | **4** N'oubliez pas de mettre en position brosse sur les parquets pour ne pas les rayer. |
| | **5** Passez deux fois sur les zones de grand passage, comme les couloirs et les seuils des pièces.. |

# NETTOYER LA MOQUETTE

La moquette de la maison d'un homme sera sale, c'est inévitable. Donc si vous en avez une, débrouillez-vous pour qu'elle ne soit pas du genre moumoute, si difficile à nettoyer. Vous devrez néanmoins lui offrir un bon récurage au moins une fois par an – surtout dans les zones de passage. Si cette fréquence ne vous convient pas, choisissez une moquette foncée, les taches se verront moins, et appelez un pro qui fera le sale boulot.

| *L'équipement* | **COMMENT FAIRE** |
|---|---|
| **Aspirateur** | **1** Commencez dans une pièce et retirez-en tous les meubles que vous pouvez. |
| **Shampouineuse à moquette (de location)** | **2** Passez l'aspirateur au moins deux fois pour dépoussiérer un maximum. |
| **Eau chaude** | **3** Suivez attentivement les instructions sur le mode d'emploi de la machine et remplissez le réservoir d'eau chaude et de shampooing. |
| **Shampooing à moquette** | **4** Passez le tuyau de la machine avec son embout comme vous passez l'aspirateur, lentement mais en appuyant sur le sol. Pressez le bouton pour vaporiser eau chaude et shampooing. |
| | **5** Quand vous avez terminé une pièce, repassez mais cette fois n'actionnez pas le bouton pour le shampooing, afin qu'il ne sorte que de l'eau chaude qui rincera la moquette. |
| | **6** La dernière étape sera de repasser avec la machine en position aspiration, ce qui vous permettra d'évacuer une bonne partie de l'eau absorbée par la moquette, elle séchera plus vite. |

# SAVOIR ENLEVER LES TACHES DANS LA MAISON

La maison d'un homme est vouée à être exposée aux taches : avec le patouillage dans le cambouis de la voiture, la manipulation de la tondeuse et le bricolage obsessionnel. Voilà pourquoi il est important de savoir les ôter.

## SUR LE BOIS

Un ami étourdi va laisser son cocktail à moitié plein sur votre table basse en bois préférée, et voilà une trace de verre.

| L'équipement | COMMENT FAIRE |
|---|---|
| **Vinaigre blanc** | 1 Mélangez à parts égales huile et vinaigre. |
| **Huile de table** | 2 Imbibez un coin de tissu du mélange et frottez la trace d'eau du verre dans le sens des veines du bois jusqu'à sa disparition. |
| **Chiffon en coton propre** | |

## SUR LA PIERRE

Les taches de café sur les plans de travail en marbre ou en granit peuvent laisser croire à votre négligence, même si vous avez nettoyé toute la journée.

| L'équipement | COMMENT FAIRE |
|---|---|
| **Farine** | 1 Faites une pâte avec la farine et l'eau oxygénée. Étalez-en une bonne couche sur la tache. Laissez-la sécher vingt-quatre heures. |
| **Eau oxygénée** | 2 Grattez la pâte avec une spatule, la tache doit logiquement avoir disparu. |
| **Spatule** | |

## LA MOQUETTE

Moquette ou tapis seront inéluctablement tachés, prenez-en bien conscience.
Voici une liste des taches les plus courantes, et comment s'en débarrasser.

### THÉ, CAFÉ, SODAS, JUS DE FRUITS, LAIT, GLACES ET ALCOOL

| *L'équipement* | COMMENT FAIRE |
|---|---|
| **1 cuiller à soupe de détergent non-alcalin** | **1** Mélangez le détergent et l'eau dans un flacon. |
| **250 ml d'eau chaude** | **2** Imbibez un chiffon propre de la solution, essorez-le un peu et frottez la tache. |
| **Chiffon** | **3** Rincez à l'eau chaude. |

### GRAS, CIRE DE BOUGIE ET GRAISSES ANIMALES

| *L'équipement* | COMMENT FAIRE |
|---|---|
| **1 cuiller à soupe de détergent non-alcalin** | **1** Mélangez détergent, vinaigre et eau, et faites-les pénétrer dans la tache avec un chiffon. |
| **1 cuiller à soupe de vinaigre blanc** | **2** Ne rincez pas. |
| **250 ml d'eau chaude** | **3** Décollez ce que vous pouvez avec une spatule. |
| **Deux chiffons** | **4** Placez un chiffon sec sur la tache et repassez-le à fer chaud. Il absorbera parfaitement la tache. |
| **Spatule** | |
| **Fer à repasser** | |

## CHOCOLAT, SAUCE ET CIRAGE

| *L'équipement* | **COMMENT FAIRE** |
|---|---|
| **60 ml de détergent** | **1** Mélangez le détergent et l'eau dans un flacon. |
| **250 ml d'eau chaude** | **2** Imbibez un chiffon de la solution, essorez-le un peu et frottez la tache. |
| **Chiffon** | **3** Rincez à l'eau chaude. |

## TAPISSERIES / REVÊTEMENTS

Si ce n'est pas une trace de verre sur la table, c'est une bière renversée sur votre nouveau fauteuil. Tout n'est pas perdu si vous intervenez avec vélocité.

## TACHES DE BIÈRE

| *L'équipement* | **COMMENT FAIRE** |
|---|---|
| **Papier essuie-tout** | **1** Absorbez vite la mousse avec le papier essuie-tout (si un but est sur le point d'être tiré, vous pouvez regarder l'action, mais pas plus). |
| **Éponge** | |
| **Solution de 50% eau + 50% vinaigre blanc** | **2** Imbibez ensuite votre éponge dans la solution eau/vinaigre, faites pénétrer et frottez aussi autour de la tache. |
| **Eau** | **3** Avec le papier, absorbez l'excès de liquide. |
| | **4** Répétez l'opération avec de l'eau. |

# COMMENT
# ÊTRE
# PROPRE
# SUR VOUS

Pour un homme qui s'efforce de trouver sa place en ce monde, voici les trois règles d'or : s'organiser, savoir préparer un bon cocktail et porter beau. Vous savez désormais tout sur la première. Vous n'assimilerez la seconde qu'après beaucoup d'entraînement. Quant à porter beau, impossible d'y arriver avec des habits sales et malodorants. Vous devez les laver mais aussi les sécher, les plier et les repasser.

# POURQUOI TRIER
# LE LINGE À LAVER ?

Contrairement à ce que pensent beaucoup d'hommes, il faut trier à la main le linge qui va être lavé en machine, pour séparer les couleurs claires des foncées, et les différents textiles. Même si vous venez de claquer la moitié de votre salaire mensuel pour acquérir une machine à laver high-tech, vous n'échapperez pas à cette corvée triviale.

Voici plusieurs raisons : les tissus foncés (surtout le rouge) déteignent quand ils sont lavés avec les couleurs claires et vos caleçons d'un blanc viril ressembleront à des culottes roses froufroutantes. Ce serait supportable (peut-être même un peu excitant) si cela n'affectait qu'un seul caleçon, mais ce n'est jamais le cas. Non, quand un satané tissu foncé décide de déteindre, il contamine chaque article blanc dans la machine à laver de la même couleur indéfinissable – en général un bleu gris terne ou un vague rose clair – juste assez pour que ceux qui vous voient (au cas où vous vous seriez résolu à porter les habits frappés du sceau de cette infamie) rigolent, vous montrent du doigt et vous prennent même pour un imbécile incapable de trier son linge.

Encore pire : si vous ne séparez pas lin, polyester, rayonne ou vêtements à nettoyer à sec de votre lot quotidien de chaussettes et de sous-vêtements, vous avez toutes les chances de faire rétrécir vos chemises et pantalons à la taille d'habits de poupée que seul votre chien pourra enfiler.

En conclusion : triez pour conserver votre garde-robe.

# CONFORMEZ-VOUS
# STRICTEMENT À L'ÉTIQUETTE

Si vous vivez dans la crainte perpétuelle que les vêtements que vous bichonnez rétrécissent, brûlent, se délavent, déteignent ou se déchirent, rassurez-vous. Des maîtres du textile de tous pays ont conçu un code international adopté par tous les fabricants pour que les gens comme vous sachent comment chouchouter leurs vêtements. Tout ce que vous avez à faire, c'est lire l'étiquette.

## DÉCHIFFREZ LE CODE

| | |
|---|---|
| | Lavage main uniquement |
| | Nettoyage à sec uniquement |
| | Séchage machine |
| | Séchage machine interdit |
| | Javel interdite |
| | Repassage interdit |

# NE PAS LAVER EN MACHINE

Si nous pouvions fourrer toute la maison dans la machine à laver, nous le ferions sans hésiter. Malheureusement cela aurait du mal à rentrer. Mais même si ces machines sont conçues pour laver les vêtements, certains ne s'y prêtent pas : ils exigent d'être lavés à la main, ou portés au pressing.

## LA MÉTHODE

**1** Si vous êtes perplexe devant un vêtement, regardez son étiquette pour savoir comment procéder. Il peut y être inscrit « nettoyage à sec uniquement » ou « lavage main uniquement ». Il peut également y être porté de nombreuses indications, y compris la température de l'eau de lavage et les recommandations pour le séchage.

**2** En règle générale, ne lavez pas en machine un article en pure laine ou en cachemire, et ne vous risquez pas non plus à les mettre dans le sèche-linge, ou c'est la panoplie de Ken assurée.

**3** Ne lavez rien qui porte l'indication « nettoyage à sec uniquement », à moins que ce ne soit un vieux truc auquel vous ne tenez vraiment plus et qui ne vaut pas l'investissement du pressing. Dans ce cas, lavez sur un cycle synthétique délicat, à froid, ou lavez à la main et faites sécher à plat.

**4** Ne lavez surtout pas des vêtements tachés sans traiter correctement les taches au préalable.

**5** Attention, ne lavez pas vous-même les vêtements que votre dulcinée adore vous voir porter, à moins d'être un pro des étiquettes.

# SAVOIR MATER LES TACHES

Les taches traduisent deux choses : ou vous travaillez dur et les traces de cambouis ou de verdure le prouvent, ou vous mangez comme un cochon et vous vous en fichez. Dans le premier cas, les filles vous tomberont dans les bras. Pas dans le second.

| *L'équipement* | COMMENT FAIRE |
|---|---|
| **Chemise sale** | **1** Avec une tache de sauce tomate (ou du même genre), la meilleure chose est d'agir vite. |
| **Eau pétillante** | **2** Humectez bien la tache en la tamponnant avec un chiffon trempé dans l'eau pétillante. Si vous n'en avez pas sous la main, utilisez de l'eau plate et un peu de savon. La tache devrait disparaître sous vos yeux. |
| **Chiffon** | |
| **Détachant** | |
| **Détergent liquide** | **3** Si une tache vous a échappé, ou si vous ne pouvez pas la traiter sur-le-champ, tout espoir n'est pas perdu. Tamponnez la tache avec du détachant, ou faites pénétrer du détergent dessus, puis mettez en machine. |
| | **4** Si la tache n'a pas disparu après le lavage, laissez sécher le vêtement, remettez du détachant ou du détergent, puis faites une nouvelle machine. |

### FAITES / NE FAITES PAS

**X** N'utilisez pas d'eau chaude pour laver les vêtements tachés, car elle est susceptible de fixer la tache. Lavez-les plutôt à l'eau froide ou tiède.

**X** Ne mettez pas de vêtements tachés au sèche-linge parce que la chaleur cuira la tache qui deviendra indélébile.

# L'ART DU LAVAGE À LA MAIN

Contrairement à ce que vous pensez, laver à la main ne veut pas dire se prendre pour une lavandière et montrer ses fesses aux passants en battant le linge.

## L'équipement

**Cuvette**

**Eau froide**

**Woolite ou autre lessive douce pour lavage à la main**

## COMMENT FAIRE

**1** Remplissez une cuvette d'eau froide dans l'évier. Ajoutez un bouchon de détergent (au maximum) juste avant de fermer l'eau.

**2** La cuvette toujours dans l'évier, trempez le vêtement à laver et tournez et brassez à la main, en essayant d'imiter les mouvements d'une machine à laver. Si vous repérez une tache spécialement tenace, frottez-la contre d'autres parties du tissu.

**3** Laissez reposer l'ensemble dix minutes avant de remuer une fois de plus.

**4** Retirez le vêtement de l'eau et videz la cuvette dans l'évier.

**5** Rincez le vêtement en remplissant la cuvette d'eau froide tout en maintenant le vêtement sous le filet d'eau. Passez bien tout le vêtement sous l'eau.

**6** Quand la cuvette est pleine, enfoncez le vêtement dans l'eau et malaxez pour bien rincer. Après cinq minutes, s'il reste beaucoup de produit dans la cuvette ou si vous voyez de la mousse sur le vêtement, recommencez l'opération.

*suite page de droite*

*suite*

**7** N'essorez pas le vêtement, sinon il aura des milliers de plis quand il séchera. Les stylistes japonais savent en tirer parti, pas vous ! Suspendez-le plutôt au-dessus de la baignoire et laissez-le sécher tranquille.

## A S T U C E

☑ Si vous voulez qu'une chemise lavée à la main sèche plus vite, prenez une serviette éponge de la même couleur, posez-la sur une surface plane. Placez la chemise à plat sur la serviette et roulez la serviette avec la chemise (comme un petit pâté chinois). Si vous pressez la serviette, elle absorbera l'eau de la chemise. Déroulez ensuite la serviette et suspendez la chemise pour terminer le séchage.

# LE LAVAGE EN MACHINE

Vous seriez surpris de l'effet d'une garde-robe propre sur un homme : ses idées sont plus claires. Fini, les plongées en apnée dans le panier à linge sale à la recherche de la chaussette mystère et les tas d'affaires sous le lit. Ouf, plus de serviettes de toilette aux relents de vieux pelage de bête préhistorique.

| *L'équipement* | COMMENT FAIRE |
|---|---|
| **Machine à laver** | **1** Triez les vêtements en séparant le blanc, la couleur et le noir. |
| **Lessive** | **2** Récupérez monnaie, stylos, portefeuille. Détirebouchonnez chaussettes, manches de chemises, jambes de pantalons. Sortez les slips des pantalons. |
| **Mode d'emploi** | **3** Traquez toutes les taches et traitez-les avec du détachant ou du détergent liquide avant le lavage (voir page 69). |
| | **4** Enfournez un tas trié dans la machine, et ajoutez la lessive soit directement dans le tambour, soit dans le compartiment de lavage. Ce choix se fera entre vous et votre conscience. |
| | **5** Sélectionnez le programme. Le plus souvent, « couleur 40° » ou « cycle rapide 40° » font l'affaire. |
| | **6** Pensez à la température : chaud pour le blanc (60°) et froid pour les couleurs vives et le noir. |

## ASTUCE

☑ Ajouter de l'eau de Javel peut aider le blanc à devenir plus blanc que blanc, mais utilisez-la avec parcimonie si vous la versez directement sur un vêtement. En trop grande quantité, elle peut désintégrer les fibres naturelles.

# LE SÉCHAGE

La plus grande crainte du lavage, c'est celle du rétrécissement démoniaque. Le drame peut se nouer dans l'eau chaude de la machine, mais souvent il se déroule dans le silence de mort du sèche-linge. Si vous doutez, étendez votre linge, dehors, si possible : le soleil et l'air frais lui conféreront cette odeur de propre que les adoucissants s'acharnent à reproduire sans succès.

| *L'équipement* | **COMMENT FAIRE** |
|---|---|
| **Sèche-linge** | 1. Quand vous videz la machine à laver, mettez à part ce qui ne doit pas aller au sèche-linge. |
| **Fil à linge ou séchoir type Tancarville** | 2. Étendez ces vêtements sur le fil à linge dehors ou sur un séchoir dans votre buanderie (ou dans votre salon ou votre chambre). |
| | 3. Programmez la température sur moyen ou bas. Le chaud est réservé aux serviettes de toilette. |
| | 4. Vérifiez régulièrement le linge : tout ne sèche pas au même rythme (des draps fins sécheront bien plus vite qu'un jean épais). Si vous les sortez dès qu'ils sont secs, vos vêtements dureront plus longtemps. |
| | 5. Pliez ou suspendez les vêtements qui viennent de sécher pour les empêcher de se froisser. |

### FAITES / NE FAITES PAS

[X] Ne séchez pas le blanc avec le noir. Comme les vêtements sont encore mouillés quand ils pénètrent dans le sèche-linge, ils risquent encore de déteindre.

# LE PLIAGE

Pourquoi bien plier ? Pour éviter les plis disgracieux. Laissez votre linge fraîchement séché en tas par terre ou dans votre corbeille à linge, et il sera plus plissé que le kilt d'un traditionaliste Écossais maniaque.

## COMMENT FAIRE

1. Pour plier un tee-shirt, posez-le sur le ventre, sur une surface plane. Pliez une manche et un côté du tee-shirt jusqu'au milieu du dos et repliez la manche sur le tout. Procédez de même pour l'autre côté. Repliez la moitié inférieure du tee-shirt vers le cou, puis retournez-le, il est superbe.

2. Suspendez vos chemises sur des cintres avec le col dans le bon sens. Boutonnez les deux boutons du haut. Lissez de la main tous les plis restants de la chemise encore chaude.

3. Rangez les chaussettes par paires : rassemblez-les et roulez-les en commençant par le bout du pied. Enfoncez cette petite boule dans le haut de l'une : fini la chaussette solitaire.

# REPASSAGE DES CHEMISES

La meilleure approche de cet exercice, c'est que quelqu'un le fasse pour vous. Si vous avez de belles chemises, portez-les au pressing. Ce n'est pas trop cher, et ça vaut le coup. Si vous êtes obligé de le faire vous-même, sans aucune autre alternative, voici comment procéder.

| *L'équipement* | **COMMENT FAIRE** |
|---|---|
| **Fer neuf rempli d'eau distillée (pour la vapeur)**<br><br>**Planche à repasser** | **1** Réglez votre fer à la bonne température.<br><br>**2** Étalez la chemise sur la planche. Commencez par l'envers du col, puis l'endroit, ensuite des pointes vers l'intérieur, pour éviter les faux plis.<br><br>**3** Attaquez-vous aux poignets. Ouvrez-les et commencez par l'intérieur, puis l'extérieur.<br><br>**4** Maintenant, les manches. Étalez-les bien à plat sur la planche et lissez-les de la main pour ne pas repasser de plis. Passez le fer lentement en maintenant le tissu. Pour les épaules, placez-les au bout de la planche.<br><br>**5** Terminez par le corps de la chemise. Installez-la le col pointé vers l'extrémité arrondie de la planche, une moitié du devant face à vous. Repassez de l'épaule aux basques.<br><br>**6** Faites un peu glisser la chemise pour faire le dos, puis tournez un peu pour repasser l'autre pan. |

**ASTUCE**

✓ Utilisez un vaporisateur rempli d'eau pour humecter les plis avant de repasser, ils partiront plus facilement.

# COUDRE ET RACCOMMODER

Un petit point de couture à temps fait gagner du temps, c'est bien connu. Si vous attendez, accrocs ou déchirures s'agrandiront, ça ne fait pas un pli. Procurez-vous donc un nécessaire à couture contenant des fils de couleurs variées, des aiguilles de différentes tailles, des épingles, un porte-aiguille, un enfile-aiguille, des boutons, des ciseaux et un dé à coudre.

| *L'équipement* | **LA MÉTHODE** |
|---|---|
| **Pièce** | **1** Mettre une pièce sur un jean déchiré au genou : posez-le à plat, rapprochez au mieux les lèvres de la blessure et aplatissez bien les plis. |
| **Épingles** | |
| **Fils de différentes couleurs** | **2** Placez la pièce sur l'accroc. Assurez-vous que toute la zone endommagée est recouverte. |
| **Aiguille** | **3** Épinglez la pièce au jean sur son pourtour. Attention de ne pas épingler avec l'arrière de la jambe du pantalon. Prenez la précaution de ne pas trop bouger le jean, pour que la pièce reste bien en place. |
| **Dé à coudre** | |
| **Ciseaux** | |
| | **4** Quand la pièce est bien épinglée, prenez environ 60 cm de fil assorti à la couleur de la pièce. Enfilez-le sur une aiguille, tirez jusqu'à obtenir deux longueurs de 30 cm de part et d'autre de l'aiguille : ainsi votre fil sera doublé, et la couture plus solide. |
| | **5** Faites un nœud rassemblant les deux extrémités du fil pour l'empêcher de ressortir du tissu. |

*suite page de droite*

*suite*

**6**   Enfilez un dé à couture sur votre index. Placez votre main ainsi parée dans la jambe du jean, derrière la pièce. Elle vous servira à maintenir le jean et à guider l'aiguille tandis que votre autre main coudra de l'autre côté.

**7**   Commencez par planter votre aiguille depuis l'intérieur du jean, et faites-la ressortir (en vous assurant qu'elle traverse jean et pièce) à 5 mm du bord de la pièce. Tirez bien sur votre aiguille (mais pas comme une brute, sinon ça casse).

**8**   Maintenant, vous allez coudre : en un seul geste, repiquez l'aiguille à travers le jean juste après le bord de la pièce puis ressortez-la dans la pièce à environ 5 mm de votre première sortie d'aiguille. Vous créez ainsi un premier point (une petite boucle) autour du bord de la pièce qui va la maintenir sur le jean.

**9**   Continuez l'opération « points » en faisant tout le tour de la pièce, très régulièrement. Quand vous vous retrouvez à votre point de départ, faites un nœud sur l'intérieur du jean et coupez aux ciseaux le fil restant.

# C'EST MOI
# QUI L'AI FAIT

Votre maison devrait être pimpante et bien rangée maintenant. Las ! Le travail d'un homme ne se borne pas à sécher son linge et à le ranger dans un tiroir. Voici le moment des retrouvailles avec votre marteau, votre perceuse électrique et tous vos outils de bricolage. Attention ! Cette activité est géniale pour impressionner les filles et vous donnera confiance en vous : savoir monter des étagères, remplacer des carreaux et réparer des cloisons équivaut à savoir survivre en pleine nature sauvage équipé d'allumettes mouillées et d'un canif.

# L'ATELIER

Un atelier organisé demande de l'espace. En général, nous nous contentons d'un coin dans le garage. Si vous pouvez dédier tout votre garage à votre activité, vous monterez en puissance. Vous aurez plus d'outils et une grande capacité de rangement.

Que vous soyez dans l'un ou l'autre cas, voici les quatre éléments indispensables à tout atelier : rangements, outils facilement accessibles, ventilation et bon éclairage, une table ou un établi dégagé. Avant d'organiser votre espace, envisagez les solutions suivantes :

Les étagères métalliques sont idéales pour stocker les outils électriques volumineux.

Le panneau de contre-plaqué à trous est essentiel : fixé au-dessus de l'établi, ou du sol au plafond. Des crochets métalliques enfoncés dans les trous sont parfaits pour ranger fils électriques, rallonges et outils.

Des cubes de rangement avec étagères, placés sous l'établi, peuvent accueillir chiffons, pots de peinture, pièces de rechange, tuyauterie et produits de nettoyage.

De petits tiroirs sous l'établi recevront les tournevis, clous, vis, clés et autre quincaillerie. Tapissez-les de mousse pour éviter que les outils ne dansent la java à chaque fois que vous les ouvrez.

Si vous avez besoin de stocker des planches, rangez-les sur les chevrons de votre garage quand il y en a, ou achetez deux fixations d'étagères métalliques en forme de L, fixez-les au mur en hauteur pour ne pas vous assommer, et posez vos planches dessus.

Rangez ensemble les outils à main et les électriques destinés au même usage, accrochez les scies côte à côte sur votre panneau de contreplaqué. Faites de même pour les pinces et les serre-joints.

Rangez vos outils pour que ceux dont vous vous servez le plus (tournevis, marteau, perceuse, clés) soient les plus accessibles.

# QUELQUES TUYAUX POUR BRICOLER SOI-MÊME

Soyez bien certain de pouvoir effectuer vous-même la réparation à laquelle vous vous attaquez, dans de bonnes conditions de sécurité. Ce n'est pas fabuleux pour votre image d'être obligé d'appeler un pro qui finira le boulot à votre place, ni excitant de demander à votre fiancée de retrouver le bout de doigt que vous avez perdu après vous être battu avec la scie circulaire.

N'entreprenez rien sans disposer des bons outils et matériaux pour mener votre tâche à bien.

Avant de vous y mettre, pensez aux saletés inévitables et prenez les précautions adéquates. Ouvrez les fenêtres pour faire sortir la sciure, protégez meubles et tapis avant de peindre, mettez des bâches sur vos carrelages et parquets pour ne pas les rayer.

Nettoyez toujours derrière vous quand vous avez terminé.

# UN BON OUTIL POSE SON HOMME

Devant un rangement supplémentaire à installer ou un parquet à réparer, un homme sans outils ressemblera à un lion édenté. Il est impuissant. Idem pour un homme qui ne trouve pas ses outils, même s'il possède toute la panoplie nécessaire à l'opération demandée. Voilà pourquoi disposer aisément de vos outils en les ayant rangés dans un endroit accessible, bien organisé, est la première étape vers le bricolage de qualité.

## *Outils indispensables*

Scie circulaire de 185 mm

Perceuse-visseuse de 12 volts avec son jeu de mèches

Banc de scie

Rallonges électriques

Marteau de menuisier avec manche en fibre de verre

Jeux de tournevis standard et cruciformes

Ruban à mesurer en acier

Jeux de ciseaux à bois

Mètre pliant

Scie égoïne

Scie à métaux

Scie à bois

Chèvre pliante pour scier le bois

Pince multiprise

Pince coupante

Clé à pipe

Clé à molette

Cutter avec ses lames

Un bon guide de bricolage
(à votre discrétion)

# FABRIQUER VOS TIROIRS

Les tiroirs sont bien pratiques pour s'organiser. On peut les réaliser de formes et dimensions variées, pour tout y ranger. Quelle que soit leur taille, assurez-vous que leurs largeur et hauteur sont inférieures de 2,5 cm à la dimension de l'emplacement où ils doivent se caser, et la profondeur inférieure de 8 cm.

## L'équipement

**Deux planches en contreplaqué de 11,5 X 48 X 1cm pour les côtés**

**Deux planches en contreplaqué de 11,5 X 35 X 1cm pour l'avant et l'arrière**

**Contreplaqué de 37 X 48 X 0,5 cm pour le fond**

**Façade de 17 X 42 X 1cm**

**Marteau**

**Pointes de 3,5 cm**

**Tournevis**

**Vis à bois de 3 cm**

**Poignée de tiroir**

## COMMENT FAIRE

1. Voici un procédé simple pour réaliser un tiroir de 40 cm de large, 15 cm de haut et 56 cm de profondeur. C'est juste une caisse avec une façade placée devant pour lui donner bel aspect.

2. Les mesures des panneaux de côté tiennent compte du fond de 5 mm et celles des panneaux avant et arrière tiennent compte des deux épaisseurs de 1 cm.

3. Fixez les panneaux de côté à l'avant et à l'arrière en plantant des pointes tous les 3,5 cm et fixez ensuite le fond du tiroir à la boîte de la même façon.

4. Centrez correctement la planche de façade sur le panneau avant et fixez-la en vissant les vis à bois de 3 cm depuis l'intérieur du tiroir.

5. Fixez maintenant la poignée parfaitement au centre de la façade.

# CONSTRUIRE VOTRE ÉTAGÈRE

Plus vous avez d'étagères, plus vous avez d'espace pour ranger. Il existe la variété fixée au mur avec des supports, la métallique toute simple à monter, ou la plus complexe, en bois, avec tenons et mortaises. Si vous voulez un meuble en bois bien costaud, le plus facile est le système des tasseaux, ces petites baguettes de bois sur lesquelles reposent les tablettes.

## *L'équipement*

**Deux planches de 180 X 2,5 X 25 cm**

**Douze tasseaux de 22 X 2,5 X 2,5 cm**

**Six tablettes de 100 X 2,5 X 2,5 cm**

**Panneau en contre-plaqué pour le fond en 5 mm**

**Six baguettes demi-rondes de 100 cm**

**Ruban à mesurer et crayon**

**Perceuse électrique**

**Vis à bois à tête plate de 3,5 cm**

**Tournevis**

**Scie électrique**

## COMMENT FAIRE

1. Posez les deux planches de 180 cm par terre. Mesurez 2,5 cm en partant de ce qui sera le bas de l'étagère. Marquez avec un crayon. Depuis ce repère, marquez des intervalles de 35 cm. Le bas des tablettes reposera au niveau de ces marques.

2. Vissez les tasseaux sur les planches, le haut du tasseau bien aligné sur vos repères au crayon. Pour qu'il ne se fende pas, percez au préalable trois petits trous à la perceuse, à intervalles réguliers, qui serviront de guides à vos vis (voir Fig. A.).

3. Quand tous les tasseaux ont été fixés, placez une tablette sur les tasseaux du bas du meuble, et vissez deux vis à travers la planche de 180 cm, près des bords, pour fixer la tablette. Posez à plat l'assemblage ainsi obtenu et répétez l'opération avec l'autre planche de 180 cm (voir Fig. B.).

*suite page de droite*

*suite*

**4** Laissez toujours votre assemblage couché pendant que vous fixez la tablette du haut, puis les tablettes restantes.

**5** Mesurez puis découpez le panneau de contreplaqué qui formera le fond de l'étagère. Fixez-le sur le pourtour, en posant une vis tous les 25 cm (voir Fig. C).

**6** Pour de belles finitions, posez des demi-rondes sur la tranche de chaque tablette, vissez les vis sur le côté du meuble (planche de 180 cm), comme pour les tasseaux (voir Fig. D).

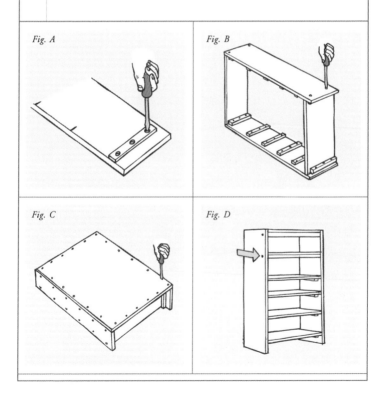

*Fig. A*

*Fig. B*

*Fig. C*

*Fig. D*

# CONSTRUIRE VOTRE PLACARD

Un placard, c'est surtout une boîte avec deux côtés, un dessus, un dessous (le bas), un arrière et un avant (la façade), et une porte. Il peut servir à ranger n'importe quoi, pour peu que vous y ajoutiez des étagères et/ou des tiroirs. Construire un placard, comme celui proposé ci-dessous, n'est pas sorcier, mais prévoyez des outils électriques sérieux. Je vous entends glousser d'aise d'ici !

| *L'équipement* | **C O M M E N T   F A I R E** |
|---|---|
| **Contreplaqué en 2,5 cm** | **1** Découpez à la scie circulaire deux panneaux de contreplaqué en 2,5 cm sur 60 cm X 75 cm, pour les côtés du placard. |
| **Contreplaqué en 2 cm** | **2** Mesurez 2,5 cm depuis le bas de chaque panneau et tracez une ligne de repère où vous découperez la rainure, de 2 cm de largeur et 8 mm de profondeur, à l'intérieur du meuble, pour que le fond vienne s'y ajuster parfaitement. |
| **Scie circulaire** | |
| **Ruban à mesurer** | |
| **Crayon de menuisier** | **3** Découpez une rainure suivant la ligne de repère, sur un banc de scie avec la lame spéciale. |
| **Banc de scie avec lame à rainures de 2 cm** | **4** Découpez des rainures le long des bords bas et haut de chaque panneau de côté. Elles ressemblent beaucoup à la précédente, mais elles sont découpées au bout d'une planche (sur 8 mm) pour servir à emboîter l'autre planche. Elles seront destinées ici au dos de contreplaqué en 2 cm et au-dessus du placard. |
| **Perceuse électrique** | |
| **Marteau** | |
| **Pointes de 6 cm** | |

*suite page de droite*

*suite*

**5** Mesurez un panneau de contreplaqué en 2 cm pour le bas du placard, en tenant compte de la largeur de 2 cm des rainures en bas des panneaux de côté (le bas ne doit pas dépasser ces encoches) et de la profondeur de 8 mm de la rainure. Découpez ensuite à la scie circulaire.

**6** Glissez le bas dans les rainures des deux côtés de sorte qu'il s'y insère parfaitement. Maintenez-le en clouant des pointes par les panneaux de côté, en traversant la rainure et en enfonçant dans le bas tous les 10 cm.

**7** Maintenant vous pouvez prendre les mesures du dessus du placard, qui sera aussi profond que les côtés sont larges et aussi long que la distance entre les extrémités intérieures des deux côtés, plus un total de 2 cm (pour les deux rainures de 8 mm). Quand vous êtes sûr de vous, découpez.

**8** Découpez une rainure au bord de la face intérieure (pour maintenir le dos du placard) et mettez-le en place de sorte que ses extrémités reposent sur les rainures des côtés. Fixez le dessus aux côtés avec des pointes de 6 cm tous les 10 cm.

**9** Mesurez, découpez le dos du placard et clouez-le.

**10** Terminez votre œuvre avec la façade, en clouant des pièces de contreplaqué en 2 cm de 2,5 X 5 cm aux extrémités des côtés, du dessus et du bas.

## ASTUCE

☑ Mesurez deux fois, ne coupez qu'une.

☑ Si vous faites un placard de cuisine, de salle de bains ou d'autre endroit humide, utilisez du contreplaqué marin plutôt que de l'aggloméré qui va gonfler et se fragiliser au contact de l'humidité.

# REBOUCHER UN TROU DANS DU PLACOPLÂTRE

Les tâches ménagères et réparations ont la fâcheuse tendance à se rappeler à vous quand vous préparez une soirée. Mais réparer quand tout le monde est parti peut aussi arriver. Par exemple, boucher un trou : l'invité est imprévisible, qui sait si, pris dans l'ambiance festive, il n'enverra pas un coup de poing ou de pied dans le mur du salon, ou ne s'y cognera pas la tête ?

| *L'équipement* | **COMMENT FAIRE** |
|---|---|
| **Scie à guichet** | **1** Si le trou est arrondi (de la dimension d'un poing, d'une chaussure ou d'une tête), transformez-le en trou carré avec une scie à guichet. |
| **Cutter** | |
| **Morceaux de Placoplâtre** | **2** Assurez-vous qu'il ne reste plus de fragments de plâtre ou de papier peint autour du trou (cassez les fragments ou coupez le papier au cutter). |
| **Vrille** | |
| **Colle à Placoplâtre** | **3** Coupez un carré de Placoplâtre inférieur de 5 cm à la dimension du trou, sur tous les côtés. Voici votre carré de rebouchage. |
| **Spatule et enduit à reboucher (type Polyfilla)** | **4** Forez un trou du diamètre d'un doigt (environ) avec la vrille au milieu du carré. |
| **Ruban adhésif pour masquer les raccords** | **5** Badigeonnez de la colle à Placoplâtre sur les rebords de votre carré, pour qu'il tienne bien en place dans le trou. |
| **Papier de verre à grain fin** | **6** Placez le carré dans le trou – votre doigt enfoncé dans le trou de vrille. Maintenez quelques minutes pour que la colle prenne. |
| | *suite page de droite* |

*suite page de droite*

*suite*

**7** Découpez maintenant un morceau de Placoplâtre à la dimension exacte du trou.

**8** Badigeonnez de colle le dos de cette pièce de Placoplâtre.

**9** Enfoncez la pièce dans le trou, en l'appliquant contre le carré déjà en place, maintenez jusqu'à ce que la colle prenne.

**10** Étalez une fine couche d'enduit le long des bords de la pièce avec votre spatule, puis posez le ruban adhésif dessus.

**11** Repassez une couche d'enduit sur le ruban adhésif, et enduisez également toute la pièce, pour bien fondre les bords de la réparation dans le plâtre qui l'entoure. Laissez sécher.

**12** Poncez votre pièce enduite au papier de verre.

**13** Repeignez le mur pour cacher la réparation.

## ASTUCE

☑ Au lieu de maintenir vous-même votre carré de Placoplâtre qui sèche, vous pouvez attacher une ficelle à un crayon, enfiler le crayon dans le trou du milieu, et attacher l'autre bout de la ficelle à un long morceau de bois qui fera le travail à votre place.

# CHANGER UN MANTEAU DE CHEMINÉE

Si vous êtes l'heureux propriétaire d'une cheminée, il est fort probable qu'elle fascine tous vos amis. N'entreprenez quand même pas d'y griller un bœuf ou d'y faire mijoter des marmites de soupe, c'est un peu archaïque. Mais vous voudrez peut-être en tirer parti pour exalter le côté intime et chaleureux de votre nid. Dans ce cas, posez une bouteille de whisky tout près, investissez dans un tapis moelleux. Nettoyez les briques ou les pierres du foyer. Si vous avez un manteau en bois abîmé, repeignez-le ou remplacez-le carrément. Un manteau ancien ou bien restauré conférera une touche de chic à votre intérieur, et n'est pas difficile à installer.

| *L'équipement* | COMMENT FAIRE |
|---|---|
| **Manteau de cheminée de style ancien ou contemporain (au choix)** | **1** Retirez d'abord le manteau abîmé en l'arrachant du mur avec un pied-de-biche ou un marteau de menuisier. Intercalez un bloc de bois entre l'outil et le mur pour ne pas faire de marques ou de trous dans votre Placoplâtre. |
| **Pied-de-biche ou marteau de menuisier** | **2** Une fois le manteau enlevé, repérez bien ses trous de fixation dans le mur et marquez leur emplacement avec le crayon. |
| **Blocs de bois** | **3** Placez votre manteau centré devant le foyer. |
| **Crayon** | **4** Mettez-le bien à l'horizontale à l'aide d'un niveau. Utilisez des cales en bois d'un côté ou de l'autre pour y parvenir (voir Fig. A.). |
| **Niveau** | |
| **Cales en bois** | |
| **Perceuse électrique et mèches** | |
| | *suite page de droite* |

*suite*

**Marteau**

**Poinçon**

**Pâte à bois**

**Mastic**

**Peinture (facultatif)**

**5** Percez des trous de guidage à la perceuse électrique, un peu plus petits que le diamètre des clous, à travers le manteau et dans le mur, tous les 25 cm, sur les côtés et le dessus.

**6** Enfoncez vos pointes de 9 cm dans les trous que vous avez préparés pour fixer le manteau au mur (voir Fig.B).

**7** Avec un poinçon, enfoncez les clous sous le bois et remplissez les trous ainsi créés à la pâte à bois de la même nuance que le bois.

**8** Scellez au mastic tous les espaces entre le manteau et le mur, et peignez si vous le désirez. Attention, si vous avez choisi de l'acajou ou un bois exotique quelconque, ne le faites pas.

*Fig. A*

*Fig. B*

# COMMENT REMPLACER DU CARRELAGE CASSÉ

Des carreaux cassés ou descellés dans votre salle de bains peuvent réellement compromettre l'effet de votre ménage. C'est laid, et la moisissure s'installera dans les fissures en dépit de vos récurages forcenés.

| *L'équipement* | **COMMENT FAIRE** |
|---|---|
| **Spatule à gratter avec lame carbure** | **1** Faites sauter le joint en ciment autour du carreau cassé avec la spatule à gratter. |
| **Marteau** <br> **Ciseau** <br> **Spatule à mastic** | **2** Cassez le carreau avec le ciseau et le marteau, et retirez ses morceaux du mur. Enlevez aussi toute trace de colle séchée qui serait restée au mur pour que la surface soit bien plane. |
| **Ciment** | **3** Tartinez une bonne dose de ciment au dos du nouveau carreau et pressez-le dans son emplacement pour qu'il soit au niveau des autres carreaux. |
| **Gants en caoutchouc** | **4** Enfilez les gants en caoutchouc et garnissez le tour du nouveau carreau de ciment à joints. |
| **Ciment à joints pour carrelage** <br> **Chiffon humide** | **5** Après 15 mn, essuyez le ciment à joints en trop avec un chiffon humide. S'il reste encore des creux dans le ciment, remettez-en, laissez encore sécher 15 mn et essuyez l'excès. |

### FAITES / NE FAITES PAS

[X] Ne laissez pas de ciment ou de ciment à joint sécher sur le carrelage.

[✓] Retirez le ciment ou le ciment à joint séché avec du nettoyant pour peinture.

# COMMENT VENIR À BOUT D'UN PARQUET QUI GRINCE

Les grincements d'un parquet viennent d'une déformation des lames ou des lambourdes, et la formation d'un espace entre les deux. Quand vous posez le pied dessus, le bois frotte sur un clou ou contre une autre lame, résultat : il couine. Cela peut devenir extrêmement pénible, surtout si vous essayez de rentrer incognito après une nuit de beuverie entre copains.

## L'équipement

**Perceuse électrique avec une mèche de 2,5 mm**

**Marteau**

**Pointes de 6 cm**

**Poinçon**

**Pâte à bois**

## COMMENT FAIRE

1. Repérez l'endroit du couinement et percez deux petits trous dans la lame incriminée. Assurez-vous que les trous soient distants de 5 cm l'un de l'autre, bien parallèles et qu'ils aillent bien jusqu'à la lambourde en dessous.

2. Plantez une pointe de 6 cm dans chaque trou et dans la lambourde.

3. Enfoncez les clous avec un poinçon pour qu'ils n'affleurent plus à la surface du parquet.

4. Remplissez les trous avec de la pâte à bois.

5. Recommencez pour tous les endroits qui couinent.

## FAITES / NE FAITES PAS

✗ Ne tapez pas sur le clou jusqu'au bois, vous abîmeriez votre parquet.

✓ Choisissez une teinte de pâte à bois de la même nuance que votre parquet.

# COMMENT REMPLACER
# UNE LAME DE PARQUET

Traîner des objets métalliques contondants qui rayent sur un parquet à assemblage traditionnel n'est pas une bonne idée. Laisser tomber une boule de bowling dessus, c'est encore pire. Mais ces choses-là arrivent.

| *L'équipement* | **COMMENT FAIRE** |
|---|---|
| **Différentes longueurs de lames de parquet à assemblage traditionnel, de même largeur** | **1** Considérez qu'il vaut mieux remplacer toute la lame plutôt que la seule zone endommagée. Ainsi on ne verra pas les raccords et la réparation passera plus inaperçue. |
| | **2** Retirez les lames à droite et à gauche de l'endroit abîmé, pour délimiter votre zone de travail et ne pas remplacer des lames saines. |
| **Adhésif de masquage pour la peinture** | **3** Réglez votre scie circulaire pour une coupe de l'épaisseur du parquet, en général 2,5 cm. Découpez sur toute la longueur de chaque lame qui doit être remplacée (voir Fig. A.). |
| **Scie circulaire** | |
| **Pied-de-biche** | |
| **Marteau** | **4** Insérez un pied-de-biche dans la découpe, soulevez pour retirer les lames coupées. Les lambourdes du dessous vont apparaître. |
| **Pointes de 6 cm** | |
| **Banc de scie** | **5** Découpez des lames de parquet neuves qui remplaceront les lames endommagées. Emboîtez la languette de la première lame dans la gorge de la première lame intacte et ajustez-la très fermement (voir Fig. B). |

*suite page de droite*

*suite*

**6** Plantez une pointe de 6 cm dans la lame jusqu'aux lambourdes tous les 15-20 cm. Il sera peut-être nécessaire de supprimer le rebord inférieur de la gorge de la dernière lame de l'assemblage pour qu'elle puisse s'imbriquer (voir Fig. C.).

**7** Les nouvelles lames en place, poncez toute la surface du parquet et recolorez-le de la teinte de votre choix (voir Fig. D.).

## FAITES / NE FAITES PAS

☑ Faites très attention aux lames en bon état voisines de celles qui sont abîmées, car les languettes se cassent très facilement.

*Fig. A*

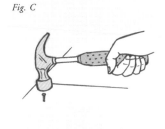

*Fig. B*

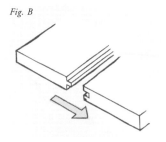

*Fig. C*

*Fig. D*

# RÉPARER UNE LAMPE

L'idéal pour adoucir l'atmosphère d'un espace sombre est de l'éclairer, mais ne vous ruez pas pour autant sur des lustres hors de prix. Dénichez plutôt des lampes rétro dans des brocantes et rénovez-les. Commencez par des abat-jour neufs. Puis vérifiez les fils et la prise. S'ils sont rouillés ou endommagés, ils risquent de causer un court-circuit puis un incendie, qui ferait désordre dans vos efforts de décoration.

## *L'équipement*

**Tournevis**

**Pince coupante**

**Nouveau fil électrique**

**Pince à dénuder ou canif**

**Nouvelle prise**

## COMMENT FAIRE

1. Retirez l'abat-jour et la « harpe » (structure métallique) qui le maintient (voir Fig. A.).

2. Dévissez d'abord la douille de la base de la lampe et tirez pour l'enlever avec son fil. Retirez ensuite le corps de la douille pour bien dégager les vis des bornes où sont reliés les fils électriques.

3. Coupez le vieux fil et extrayez-le du pied de lampe, sans retirer les fils vissés à la douille. Passez le nouveau fil dans la lampe pour qu'il ressorte par le haut (voir Fig. B.).

4. Reliez le nouveau fil à la douille de la même façon que l'ancien. Dévissez les vis qui maintiennent le vieux fil. Dénudez l'extrémité du nouveau fil de sa gaine plastique avec une pince à dénuder ou un canif (voir Fig. C.). Reliez les deux brins ainsi dégagés aux deux vis.

*suite page de droite*

*suite*

**5** Remontez le corps de douille, replacez-le correctement sur la lampe.
Remettez l'abat-jour en place.

**6** Posez une nouvelle prise en dénudant l'autre extrémité de votre fil électrique.
Fixez les brins aux petites vis de la prise, et voilà, ambiance feutrée garantie !
(voir Fig. D.).

## FAITES / NE FAITES PAS

**✗** Ne bricolez jamais d'appareils électriques si vous êtes mouillé.

*Fig. A*

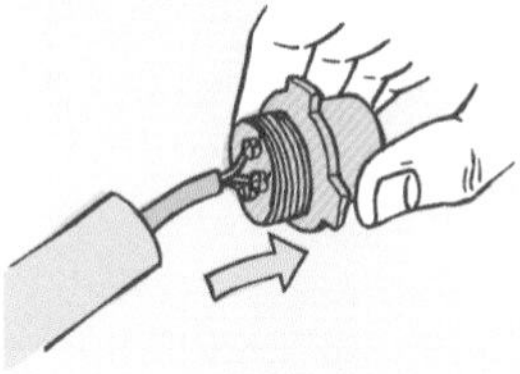

*Fig. B*

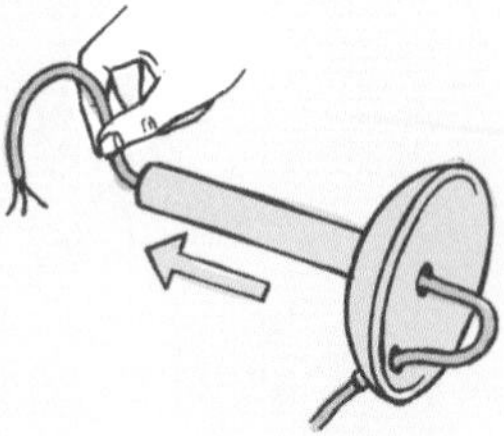

*Fig. C*

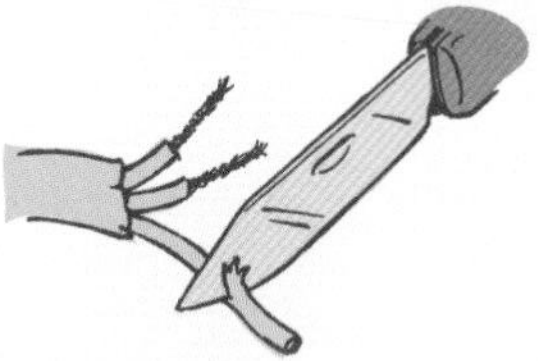

*Fig. D*

# SAVOIR
# RÉPARER
## DANS LA
# MAISON

Bien, vous possédez désormais quelques notions pour vous occuper de votre maison. Mais un tuyau qui fuit, un écureuil coincé sous un panneau d'isolation ou vos parquets atteints de moisissure sèche, et voilà votre science du nettoyage de toilettes ou de la construction d'étagère impuissante à empêcher l'inexorable délabrement de votre foyer. Cependant n'oubliez pas que si la réparation s'avère dangereuse à effectuer, il vaut mieux parfois faire appel à un professionnel plutôt que d'essayer de la faire vous-même. Non seulement on vous remerciera de vous être occupé de la maison, mais vous éviterez l'hôpital.

# RÉPARER UN TUYAU

Vos canalisations ont horreur du gel. Elles risquent d'éclater ou de se fissurer parce que l'eau transformée en glace occupe un volume plus important. Si un tuyau éclate, pas de temps à perdre. Stoppez d'abord la fuite avec une réparation provisoire et appelez le plombier.

## L'équipement

**Ruban adhésif (du style « duct tape »)**

**Colle epoxy**

**Serre-joint pour canalisation**

**Serre-joint pour tuyau**

**Tampon en caoutchouc ou équivalent (ce sera le « bouchon »)**

**Tournevis**

## LA MÉTHODE

1. Si la fissure semble petite et la fuite minime, il est possible d'enrouler du ruban adhésif autour du tuyau sans couper l'eau pour autant. Assurez-vous bien de faire se chevaucher chaque tour d'adhésif.

2. Vous pouvez effectuer une réparation plus solide avec de la colle epoxy, surtout si la fissure avoisine un raccord de tuyauterie. Avant d'appliquer la colle, coupez l'arrivée d'eau et séchez parfaitement le tuyau.

3. Pour une fissure plus grande, coupez l'eau après avoir localisé la fuite. Placez un tampon de caoutchouc (un « bouchon »), sur la fissure et autour du tuyau. Placez la mâchoire fixe (en forme de « C ») de votre serre-joint au-dessus du caoutchouc, vers le haut de la canalisation. Ajustez la mâchoire mobile du serre-joint, puis vissez-la. Si vous n'avez pas cet outil, utilisez-en plusieurs petits.

*suite page de droite*

*suite*

  Si vous avez coupé l'eau pour colmater la fuite, rouvrez-la et examinez votre section de canalisation réparée pour vérifier qu'elle ne fuit plus.

## A S T U C E

☑ Prémunissez-vous contre l'éclatement des canalisations en installant un robinet de vidange. Vous contrôlerez ainsi la quantité d'eau dans vos canalisations pour la réduire en prévision du gel. Isolez également les tuyaux situés à l'extérieur et ceux de la cave avec de l'isolant à tuyaux en mousse plastique, en forme de cylindre, qui s'adaptera parfaitement, ou un autre isolant de votre choix.

# CHAUFFAGE ET ISOLATION

Votre maison étant à peu près rangée et les mois d'hiver approchant, vous n'aurez qu'un désir : l'installation d'une excellente isolation de votre joli nid. Le grenier est l'endroit crucial, l'isolation doit y être suffisante, et surtout bien choisie. Ensuite il faudra penser au sol, surtout si votre maison est bâtie sur un vide sanitaire. Les constructeurs connaissent bien le problème et préconisent le genre d'isolation qu'il faut prévoir, en fonction de votre région. N'hésitez vraiment pas à les consulter.

## L'ISOLATION AVEC ROULEAUX

Le matériau le plus courant est la laine de verre, qui se présente en gros rouleaux. La pose est on ne peut plus simple : coupez des bandes à la dimension voulue avec un cutter et posez-les sur vos murs, sols ou plafonds. Si vous avez choisi ce matériau, portez un masque à poussière et un vêtement à manches longues durant la pose parce que les particules de laine, microscopiques, peuvent abîmer les poumons et irriter la peau.

## L'ISOLATION PAR PROJECTION

Ce type d'isolation s'effectue en répandant ou en vaporisant l'isolant dans les greniers et sur les murs, à l'aide d'une machine. Son avantage par rapport à la méthode précédente est sa facilité d'emploi et la parfaite étanchéité obtenue. On utilise généralement de la fibre et de la laine de verre mais la cellulose, matériau recyclé, commence à intéresser toutes les personnes soucieuses de l'environnement.

## LA MÉTHODE

**1** Allez au grenier, et repérez la présence de rongeurs ou autres bestioles. Elles peuvent grignoter votre isolant et compromettre l'efficacité de l'isolation. Si c'est le cas, remplacez l'isolant détérioré et débarrassez-vous des rongeurs.

**2** Vérifiez que votre isolant recouvre bien toute la surface du grenier. Bouchez tous les trous avec du nouvel isolant.

**3** Assurez-vous que la porte du grenier est bien isolée. S'il s'agit d'une trappe d'accès au plafond avec escalier dépliant, découpez une pièce de contreplaqué à la dimension de la trappe, agrafez de la laine de verre dessus et fixez à la trappe.

**4** Vérifiez si vous avez un vide sanitaire. Vous devrez aller examiner sous la maison s'il existe une quelconque isolation. Si c'est une vieille maison, ne cherchez pas trop, il n'y en aura sans doute pas. Sinon, munissez-vous de laine de verre, d'une agrafeuse et posez-la entre les solives.

**5** Les murs sont difficiles à isoler dans une maison ancienne, où les cloisons en placoplâtre sont déjà montées. En ce cas, il serait préférable de faire appel à un professionnel, qui vous proposera d'injecter de l'isolant entre mur et placoplâtre.

# LES CHAUFFE-EAU

Les chauffe-eau semblent fonctionner à merveille jusqu'à ce qu'ils vous lâchent en plein hiver, au moment où vous avez le plus besoin d'un bon bain chaud. Hélas, comme tous les appareils, ils requièrent de l'entretien, surtout s'ils ont plus de dix ans. Si c'est votre cas, envisagez de le remplacer, ou du moins sachez enfin quoi faire s'il fonctionne mal.

## LA MÉTHODE

1. S'il y a de l'eau chaude pour une douche seulement (et que deux personnes vivent dans la maison), augmentez le thermostat. C'est en général un bouton rouge à la base du réservoir. Si cela ne suffit pas, il faut alors envisager de vous procurer un chauffe-eau de plus grande capacité.

2. Si la température de l'eau est vraiment trop chaude, baissez évidemment le thermostat... mais, si rien ne se passe, appelez un professionnel.

3. S'il n'y a plus d'eau chaude du tout, la veilleuse s'est peut-être éteinte, ou le fusible est grillé. En ce cas, vérifiez le fusible et remettez le circuit en route. Pour rallumer la veilleuse, suivez les instructions apposées sur le chauffe-eau. En général, il suffit de positionner le thermostat sur « veilleuse », de présenter une allumette (allumée) dans l'orifice de la veilleuse, et de maintenir enclenché le bouton d'arrivée du gaz pendant l'opération.

4. Si l'odeur de gaz est très forte, coupez l'arrivée et appelez vite un pro.

## ASTUCE

☑ Pour économiser jusqu'à 10% sur vos factures de gaz ou d'électricité, isolez bien votre chauffe-eau pour lui faciliter le travail.

# ENTRETIEN DE LA CHAUDIÈRE

Les chaudières, comme tout autre appareil, peuvent tomber en panne si elles sont mal entretenues. Et panne peut signifier gros ennui, surtout quand elle se produit en plein hiver, avec du fuel qui se répand inexorablement partout. Pour que votre chaudière chauffe bien et longtemps, faites-la réviser chaque automne et, pour ce travail, faites appel à un pro, à moins de vous y connaître un peu.

| *L'équipement* | **LA MÉTHODE** |
|---|---|
| **Brosse métallique à long manche** | 1   Avant tout, coupez le robinet d'alimentation en fuel de la chaudière, et l'électricité. |
| **Masque à poussière** | 2   Repérez la chambre de combustion et avec la brosse métallique, grattez l'intérieur pour retirer suie, impuretés et autres dépôts. Portez un masque à poussière, et aspirez les saletés avec un aspirateur de type industriel. |
| **Aspirateur de type industriel pour eau et cendres** | |
| **Rouleau adhésif (style « duct tape »)** | 3   Remplacez le filtre à air par un nouveau. Vous devez le trouver à la sortie du tuyau de ventilation, |
| | 4   Vérifiez maintenant le ventilateur pour vous assurer que rien ne l'obstrue, et examinez attentivement la tension de sa courroie. |
| | 5   Inspectez les conduits d'évacuation, surtout au niveau des raccords, et fixez du ruban adhésif sur tous les endroits qui paraissent fissurés ou endommagés. |

# ANÉANTIR LES VERS DE BOIS ET LES TERMITES

Les vers de bois, les termites et autres ennemis du bois comme les moisissures sèches et humides peuvent sérieusement endommager une maison. D'où l'intérêt de les détecter avant qu'ils ne se multiplient. Cela vous évitera d'être obligé d'entreprendre de gros travaux, une simple intervention suffira. Les vers les plus destructeurs sont les vers de meubles, créatures marron-noir xylophages qui creusent des tunnels dans vos meubles anciens et les réduiront en tas de poussière si vous ne faites rien.

## L'équipement

**Lampe électrique**

**Tournevis**

**Vieux vêtements qui ne craignent rien**

## LA MÉTHODE

1. Faites le tour de votre maison, et regardez bien tout ce qui est en bois et qui se trouve au contact du sol. Examinez attentivement les vides sanitaires, les rebords de fenêtres, les escaliers et les zones humides en permanence.

2. Un signe infaillible d'invasion de vers : la présence de petits trous et des dépôts de poussière très fine, ou en cas de termites, les tunnels de boue marron dont ils se servent pour circuler vers de nouvelles sources de nourriture.

3. Pour la moisissure humide, cherchez des fissures, de la peinture écaillée, des fentes ou des champignons près de tout ce qui est plomberie.

*suite page de droite*

*suite*

**4** Pour la moisissure sèche, cherchez sur le bois des fissures, des filaments ou des taches blanches comme de la poussière.

**5** Enfoncez l'extrémité d'un tournevis à la main dans tout bois que vous trouvez suspect. S'il s'enfonce facilement d'environ 1 cm, il est probable que vous avez des vers, des termites ou de la moisissure sèche.

**6** Pour se débarrasser d'une invasion, il faut une approche rigoureuse. La méthode traditionnelle, qui est d'ailleurs la plus efficace à ce jour, utilisée depuis des dizaines d'années, est d'imbiber le bois atteint d'insecticide.

## ASTUCES

☑ Des fondations bien sèches sont essentielles pour se prémunir de la moisissure sèche. Pour que l'eau de pluie ne stagne pas trop près, dégagez la terre autour de la maison, traquez les fuites d'eau éventuelles dans la cave ou sur les tuyaux qui courent dans le vide sanitaire.

☑ Contrôlez le degré d'humidité en utilisant la ventilation : des aérations au faîte du toit sont idéales pour la circulation de l'air frais dans un grenier. Des grilles d'aération devraient être posées à intervalles d'un mètre pour les vides sanitaires.

# AÉRER VOTRE MAISON

Une atmosphère de bonne qualité ne veut pas dire envahir de bougies parfumées et d'encens pour masquer des odeurs de renfermé. Au contraire, débarrassez-vous de cet attirail (et de la fumée qui l'accompagne) et des autres allergènes véhiculés dans l'air, comme la fumée de cigarette, les poils d'animaux, le pollen et les acariens, qui peuvent transformer tout être sain en épave aux yeux gonflés, au nez qui coule et à la gorge irritée.

## COMMENT PROCÉDER

1. Le moins cher et le plus efficace pour améliorer la qualité de votre air est de maintenir votre maison propre et exempte de poussière. Épousseter, passer l'aspirateur, balayer et passer la serpillière régulièrement, c'est essentiel.

2. Si vous continuez à larmoyer et éternuer, il vous faudra peut-être prendre des mesures plus drastiques. N'ouvrez pas vos fenêtres quand il y a beaucoup de pollen dehors. Si vous fumez, arrêtez ou faites-le dehors. Sortez les animaux domestiques le soir, ou au moins ne les laissez pas dormir dans votre chambre.

3. Si ces mesures vous paraissent compliquées, il existe des purificateurs d'air qui piègent les particules en suspension dans l'air grâce à un système de filtres.

4. Les filtres les moins chers sont des filtres plissés jetables, dénommés filtres mécaniques. Ils sont en général composés de fibre de verre montée sur un cadre en carton, et se changent tous les deux mois environ. On trouve le même genre de filtres dans les aspirateurs.

5. Les purificateurs d'air, qui ressemblent à de petites poubelles high-tech, se vendent avec toute une batterie de différents accessoires de filtration adaptés à vos besoins.

*suite page de droite*

*suite*

**6** Les filtres électrostatiques utilisent un champ électronique pour attirer les particules qui viennent se coller sur des plaques à l'intérieur de l'appareil.

**7** Il existe une autre sorte de purificateur, le générateur d'ions. Il charge les particules, qui sont ainsi attirées vers les murs, les rideaux, les meubles et tout ce qui présente une surface plane. L'inconvénient de ce système : lorsque vous vous asseyez ou tirez les rideaux, les particules s'envolent de nouveau.

# NETTOYER UNE CHEMINÉE

Certes, il existe des fours autonettoyants, mais pas de chance, ce n'est pas le cas des cheminées ! Les conduits finissent par être envahis de suie, avec tout le bois que vous brûlez, et divers détritus risquent de tomber dedans : oiseaux, branches et autres surprises de la nature.

| *L'équipement* | **COMMENT FAIRE** |
|---|---|
| **Journaux** | **1** Tapissez le bas de la cheminée de vieux journaux, pour recueillir la suie ou les cendres, et fixez un drap autour du manteau pour contenir la poussière. Éloigner tout meuble de la zone d'opérations n'est pas une mauvaise idée. |
| **Vieux drap** | |
| **Brosse de ramoneur (« hérisson »)** | |
| **Corde** | **2** Fermez la trappe de la cheminée. |
| **Poids** | **3** Attachez un hérisson (la brosse de ramoneur) au bout d'une longue corde, et fixez des poids à la base de la brosse pour augmenter son pouvoir de brossage dans le conduit. |
| **Vêtements couleur suie** | |
| **Masque à poussière** | **4** Revêtez vos vêtements couleur suie, masque et lunettes. Grimpez à l'échelle jusqu'en haut du toit avec la brosse, les poids et la corde. |
| **Lunettes** | |
| **Échelle** | **5** Faites descendre la brosse dans la cheminée et remontez-la. Répétez l'opération plusieurs fois jusqu'à ce que tout soit nettoyé. |
| **Aspirateur de type industriel** | |

*suite page de droite*

*suite*

**6** Retournez dans la maison, passez la main derrière le drap et rouvrez la trappe pour que tout ce que vous avez gratté tombe sur les journaux.

**7** Quand toute la poussière s'est déposée, retirez le drap et les journaux. Mettez ces derniers à la poubelle, sortez le drap, secouez-le un bon coup avant de le mettre dans la machine à laver.

**8** Nettoyez le bas de votre cheminée avec un aspirateur de type industriel.

## FAITES / NE FAITES PAS

**X** Ne grimpez pas à l'échelle à moins d'être sûr qu'elle repose sur un sol bien dur. L'idéal serait que quelqu'un vous la tienne pendant que vous récurez là-haut.

# 7

# RÉPARER
## À
# L'EXTÉRIEUR

La première impression fera souvent la différence entre un premier rendez-vous prometteur et un rendez-vous catastrophique. Vous serez sans doute pomponné pour ce rendez-vous, et vous voudrez que votre maison le soit aussi pour vos visiteurs. Votre intérieur doit être rangé, propre et bien entretenu, mais c'est l'extérieur qui frappera les esprits. Si la peinture s'écaille, ou les gouttières se décrochent, le côté pimpant et l'esprit zen de votre nid ne séduiront personne.

# CONSEILS D'ORDRE GÉNÉRAL POUR L'ENTRETIEN DE L'EXTÉRIEUR

Ne vous y trompez pas, l'ennemi principal de votre maison n'est pas votre bande de copains excités amateurs de foot et de bière, c'est la météo. Pluie, vent, soleil et neige s'attaquent aux toit, peintures et fenêtres avec cette constance imperturbable qui fera que tôt ou tard une tuile tombera, une vitre se cassera ou la peinture s'écaillera. La moindre bricole deviendra un problème majeur si elle n'est pas réparée sur-le-champ.

## LA MÉTHODE

1. Établissez un calendrier des travaux qui doivent être effectués à une époque précise de l'année. Nettoyez les gouttières avant la chute des feuilles, et après qu'elles ont fini de tomber. Vérifiez votre toit et réparez-le avant les pluies d'hiver. Si vous devez repeindre, faites-le en été, après les pluies.

2. Travailler sur l'extérieur d'une maison implique en général d'être sur une échelle. Assurez-vous que ses pieds reposent toujours sur un sol plat et dur. Ne vous penchez pas trop sur les côtés, sinon elle risque de tomber. Un bon principe est de toujours garder les hanches parallèles aux montants de l'échelle.

3. Ramassez et rangez vos outils quand vous avez terminé. Rien de mieux pour perdre un tournevis que de le laisser traîner dans l'herbe toute la nuit !

4. Ne sous-estimez jamais le pouvoir d'infiltration de l'eau. Elle peut passer par le plus petit trou ou une fissure de l'épaisseur d'un cheveu. Si elle traverse le toit et pénètre dans la maison, les dégâts peuvent coûter cher et être pénibles à réparer. Mieux vaut neutraliser les fuites avant d'en arriver à ce point.

5. Comme pour les gros ennuis à l'intérieur de la maison, si la tâche est trop longue ou trop complexe, l'essentiel est qu'elle soit correctement effectuée. En d'autres termes, n'hésitez pas à appeler un pro.

# REMPLACER UNE MOUSTIQUAIRE

Vos écrans moustiquaires prendront un air négligé en vieillissant. Non seulement est-il important de les garder propres en les nettoyant avec une brosse et de l'eau, mais aussi quand des trous, des déchirures et l'aspect général leur donnent mauvaise mine, il faut les remplacer.

## *L'équipement*

**Treillis métallique moustiquaire (un peu plus large et de 15 cm plus longs que la dimension de la fenêtre)**

**Spatule bien rigide**

**Agrafeuse**

**Paire de pinces de tapissier pour tendre**

**Marteau**

**Clous à petite tête ou pointes**

**Cutter**

## COMMENT FAIRE

1. Retirez le vieil écran de son cadre en bois.

2. Placez le nouvel écran, de façon qu'il couvre bien jusqu'au bord des côtés et aille jusqu'en bas. Il doit dépasser le cadre de 15 cm sur le haut. Agrafez le bas de l'écran sur le cadre.

3. À l'aide de pinces de tapissier, saisissez le treillis métallique au milieu du haut de l'écran et servez-vous du cadre comme point d'appui pour bien tirer sur l'écran. Agrafez le haut au cadre, en commençant par le milieu.

4. Ensuite, allez jusqu'à un coin en tirant toujours sur l'écran avec la pince et en agrafant tous les 1 cm. Recommencez l'opération jusqu'à l'autre coin.

5. Agrafez l'écran de la moustiquaire sur les côtés.

6. Coupez l'excès de treillis au cutter, et à l'aide d'un marteau et de clous à petite tête ou de pointes, replacez le cadre sur la fenêtre.

# ISOLER UNE PORTE

Si vous êtes avide d'étaler vos nouvelles connaissances sans trop vous fouler, voilà qui vous ira comme un gant : l'isolation d'une porte. Par la simple pose de bandes de mousse ou caoutchouc isolant sur son encadrement, vous empêcherez l'air froid d'entrer et vos notes de chauffage gonfler.

| *L'équipement* | **C O M M E N T   F A I R E** |
|---|---|
| **Ruban à mesurer** | **1** Mesurez les côtés et le haut du chambranle (rebord en bois autour de la porte) contre lequel celle-ci vient se fermer (voir Fig. A.). |
| **Ruban d'isolant adhésif en rouleau (au choix)** | **2** Coupez votre isolant à ces dimensions. |
| **Ciseaux** | **3** Retirez le papier protecteur et appliquez votre ruban sur le chambranle. Quand la porte se referme, elle vient désormais se presser contre ce ruban, empêchant ainsi l'air froid de s'insinuer (voir Fig. B.). |
| **Barre de seuil anti-froid avec bande en caoutchouc** | |
| **Pince coupante** | **4** Ensuite mesurez le bas de la porte. Coupez une bande d'isolant, appliquez-la sur le bas pour isoler aussi le seuil (voir Fig. C). |
| **Tournevis** | **5** Pour une meilleure isolation, installez une barre de seuil métallique anti-froid du côté intérieur. |
| | **6** Coupez d'abord la barre à la dimension du seuil avec la pince coupante. Puis vissez-la au bas de la porte pour que la partie en caoutchouc souple balaye le sol aux mouvements de la porte, avec une légère résistance mais sans gêner (voir Fig. D). |

**F A I T E S   /   N E   F A I T E S   P A S**

☑ Laissez un retrait d'environ un millimètre en posant la barre de seuil par rapport à la dimension du bas de porte.

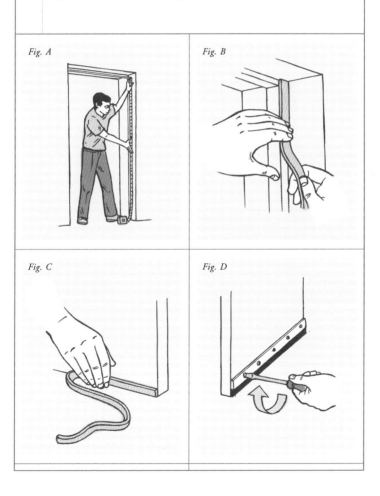

*Fig. A*

*Fig. B*

*Fig. C*

*Fig. D*

# REMPLACER UNE TUILE GOUDRONNÉE

Vous êtes peut-être l'heureux propriétaire d'une cabane de jardin au toit recouvert de tuiles goudronnées. Il arrive qu'une tuile soit déchirée par des chutes de branches, ou s'envole à cause d'une tempête. Mais vous avez vraiment de la chance, elles sont très faciles à remplacer. N'attendez pas trop longtemps, c'est tout.

## *L'équipement*

**Nouvelle tuile de la même taille et de la même couleur que celles de votre toit**

**Petit pied de biche**

**Cutter**

**Marteau**

**Clous pour tuiles goudron de 3 cm**

**Ciment pour usage extérieur (au choix)**

## COMMENT FAIRE

1. Ayez à portée de main la tuile neuve, juste à côté de celle que vous allez remplacer.

2. Utilisez un petit pied-de-biche pour retirer tous les clous qui fixent la tuile endommagée sur le toit, et retirez bien tous les morceaux de tuile abîmés.

3. Glissez la tuile de remplacement à sa place. Si elle a du mal à rentrer, découpez les coins du haut en biseau avec le cutter.

4. Maintenant vous pouvez clouer la tuile goudronnée sur les chevrons du toit.

5. Posez du ciment sur les têtes de clous pour empêcher les infiltrations d'eau.

## ASTUCE

☑ Une journée chaude sera idéale pour réparer un toit en tuiles de goudron car, avec la chaleur, celles-ci seront plus flexibles. Le froid les rend rigides, elles risquent donc de se casser quand vous les manipulez.

# RÉPARER LES RACCORDS SUR LE TOIT

Ces raccords sont placés autour des cheminées et des tuyaux d'aération (en cas de VMC), ainsi que le long des noues (c'est-à-dire les angles, si le toit a plusieurs pans) et des avant-toits. Ces bandes sont fixées avec des clous et du ciment aux endroits où l'eau risque de s'infiltrer. Elles peuvent vieillir, se disjoindre ou simplement commencer à se corroder.

## L'équipement

**Marteau**

**Ciment pour usage extérieur**

**Joint silicone**

**Bandes d'aluminium pour raccords de toit**

**Brosse métallique**

**Spatule**

## LA MÉTHODE

1. Vérifiez les raccords des bandes entre elles et près de leurs bords. Cherchez s'il manque des clous, si du ciment s'effrite, si le métal est tordu et baille par rapport à la surface du toit.

2. Remplacez les clous manquants, puis recouvrez de ciment les têtes des clous.

3. Si du ciment s'effrite ou si le métal baille, ajoutez du ciment ou du joint silicone pour boucher l'espace créé et tordez le métal si vous pouvez pour le remettre en place.

4. Si la bande métallique est corrodée ou trouée, vous pouvez poser facilement des « pièces » du même métal.

5. Tout d'abord, brossez la surface de la vieille bande avec une brosse métallique.

6. Avec une spatule, appliquez une couche de ciment pour extérieur sur la surface nettoyée de la vieille bande, puis enfoncez la « pièce » dans le ciment au-dessus du trou de corrosion.

7. Recouvrez la « pièce » de ciment.

# L'ENTRETIEN DES GOUTTIÈRES

Tant que les gouttières font leur boulot – récupérer l'eau qui coule sur le toit, qui ensuite s'écoulera dans la descente de gouttière – nous ne pensons pas à elles. Mais qu'elles se bouchent ou débordent, et nous les maudissons. Pour éviter cela, commencez par les nettoyer et les inspecter deux fois par an pour vous assurer de leur bonne santé.

| *L'équipement* | **LA MÉTHODE** |
|---|---|
| **Gants de jardinage** | **1** Feuilles, brindilles, glands, insectes morts et autres détritus rempliront et boucheront vos gouttières à la fin de l'automne, aussi les nettoyer avant et après est une bonne idée. (Si vous vivez entouré d'arbres qui se font une joie de répandre leurs feuilles sur votre toit, inspectez-les plusieurs fois pendant l'automne.) |
| **Échelle** | |
| **Seau ou sac poubelle** | |
| **Tuyau d'arrosage** | |
| **Furet (tuyau étroit comme un flexible métallique)** | **2** Enfilez des gants de jardinage et grimpez sur une échelle pour accéder aux gouttières. |
| **Tournevis** | **3** Retirez toutes les saletés à la main, et mettez-les dans un sac poubelle ou un seau. |
| **Joint silicone** | **4** Les débris retirés, faites couler de l'eau dans la gouttière avec votre tuyau d'arrosage, ce qui fera office de nettoyage. |
| **Morceaux de ruban d'aluminium** | |
| **Ciment pour extérieur** | **5** Si la descente de gouttière est bouchée, placez un embout d'arrosage pour augmenter la pression d'eau et dirigez-le à jet serré dans l'orifice. Si cela ne suffit pas, utilisez un furet. |
| **Spatule** | |
| **Brosse métallique** | |

*suite page de droite*

*suite*

**6** Après avoir nettoyé, faites le tour de votre maison et regardez si des vis ne sont pas desserrées à la jonction des sections de gouttière, en particulier sur les descentes. Vérifiez les crochets qui tiennent la gouttière au toit. Revissez-les et rebouchez les interstices dans le métal avec du joint silicone.

**7** Si la gouttière est trouée (par la rouille ou une branche traîtresse), posez une pièce d'aluminium sur l'intérieur de la gouttière, puis cimentez.

**8** Quand l'intérieur de la gouttière est parfaitement sec, brossez à la brosse métallique toute la zone endommagée. Appliquez ensuite du ciment à la spatule tout autour du trou.

**9** Courbez votre pièce d'aluminium pour qu'elle s'adapte au contour de la gouttière et enfoncez-la dans le ciment. Installez-la bien.

**10** Ajoutez du ciment sur tout le pourtour de la pièce.

## F A I T E S   /   N E   F A I T E S   P A S

**✗** Si la gouttière est rouillée, fissurée et pleine de trous sur toute sa longueur, n'essayez pas de poser des pièces. Remplacez toute la section abîmée.

**✗** Quand vous réparez un trou, ne mettez pas trop de ciment sur votre pièce, sinon vous risquez de gêner l'écoulement de l'eau avec un barrage miniature.

## A S T U C E

**✓** Pour que l'eau s'écoule facilement sans laisser passer feuilles et débris (qui risquent ensuite de boucher la descente), achetez soit une grille métallique qui se pose comme un bouchon sur l'orifice de la descente, soit du treillis qui se pose au-dessus de toute la gouttière.

# REMPLACER UNE VITRE À VOTRE FENÊTRE

Le plus pénible quand il faut remplacer une vitre, c'est qu'il faut le faire de l'extérieur. Si vous vivez plus haut qu'un premier étage, voilà qui n'est pas facile. Ou vous êtes obligé de louer du matériel d'alpinisme pour accéder à la vitre en partant du toit, ou vous devez savoir retirer la fenêtre de son encadrement pour travailler à l'intérieur. Mais pas d'affolement, vous devriez pouvoir vous débrouiller sans faire appel à un pro.

| *L'équipement* | **COMMENT FAIRE** |
|---|---|
| **Nouvelle vitre aux bonnes dimensions** | **1** Enfilez des gants en cuir et retirez tout fragment de verre restant dans le châssis. |
| **Gants en cuir** | **2** Grattez le vieux mastic avec une spatule rigide et à l'aide d'une pince retirez les vieilles pointes à fenêtres – ces petits morceaux de métal triangulaires enfoncés dans le châssis. |
| **Spatule** | |
| **Ciseau** | |
| **Pinces** | **3** Passez le châssis au papier de verre et passez une couche de peinture d'apprêt. |
| **Papier de verre fin** | |
| **Peinture pour sous-couche (à l'huile)** | **4** Quand elle est sèche, appliquez avec la spatule une fine couche de mastic sur le châssis qui fera le lit de la vitre neuve (voir Fig. A.). |
| **Pinceau** | **5** Positionnez la vitre et pressez-la doucement contre le mastic. Pour la maintenir en place, enfoncez de nouvelles pointes avec un ciseau à 5 cm de chaque coin et tous les 15 cm. |
| **Mastic à vitres** | |
| **Pointes pour fenêtres** | |
| | *suite page de droite* |

*suite*

**6** Roulez du mastic dans vos mains pour faire un boudin assez fin (comme les enfants avec la pâte à modeler). Appliquez-le à la main sur le pourtour de la vitre pour recouvrir les pointes et sceller la vitre au châssis (voir Fig. B.).

**7** Égalisez le mastic à la spatule. Au final, vous devez obtenir un joli tour de fenêtre, bien triangulaire.

**8** Après avoir laissé sécher votre mastic une dizaine de jours, peignez-le de la couleur de votre fenêtre.

## A S T U C E

✓ Quand vous peignez votre nouveau mastic, débordez un peu sur la vitre pour créer un sceau hermétique entre la fenêtre et le mastic. Puis, quand la peinture est sèche, retirez l'excès de peinture et de mastic avec une lame de rasoir.

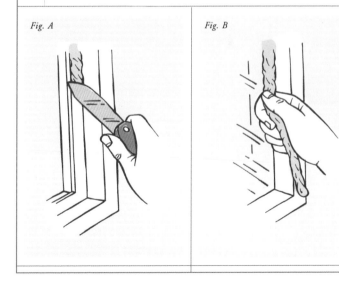

*Fig. A*

*Fig. B*

# COMMENT PEINDRE UNE MAISON

Peindre n'est pas difficile, et l'effet sur votre maison sera spectaculaire. Mais si vous vous imaginez qu'il suffit d'ouvrir un pot de peinture et de barbouiller votre mur avec un pinceau flambant neuf, réfléchissez. La préparation est essentielle : poncer, gratter, nettoyer et boucher les trous. La peinture n'est que la touche finale qui s'effectue en un clin d'œil.

| *L'équipement* | **COMMENT FAIRE** |
|---|---|
| **Bâches ou plastiques de protection** | **1** Couvrez arbustes et plates-bandes avec des bâches, élaguez les arbres et arbustes trop proches pour qu'ils ne frottent pas sur la peinture. |
| **Brosse en nylon** | |
| **Eau de Javel** | **2** Retirez les mangeoires à oiseaux et autres accessoires de décoration, la plaque du numéro de la rue : tout ce qui risque de vous gêner. |
| **Eau** | |
| **Grattoir** | **3** Nettoyez soigneusement vos surfaces à peindre. Allez vraiment partout, même dans les endroits difficiles à atteindre. |
| **Papier de verre à grains différents** | |
| **Chiffons propres** | **4** Si vous découvrez de la moisissure sur le bois, diluez une mesure d'eau de Javel pour trois mesures d'eau et frottez la zone avec une brosse. Rincez à l'eau claire. |
| **Marteau** | |
| **Poinçon** | |
| **Enduit de rebouchage** | **5** Repérez, sur les parties en bois, les endroits où la peinture est cloquée, écaillée ou craquelée. Grattez puis poncez, essuyez avec un chiffon humide. |
| **Spatule** | |
| **Peinture d'apprêt** | |
| **Échelle** | |
| | *suite page de droite* |

*suite*

**Peinture extérieure (à choisir selon votre matériau)**

**Pinceaux de 3,5 et 6 cm**

**Seau à peinture avec grille d'égouttage**

**Crochet pour fixer le seau sur votre échelle**

**Bâton pour mélanger la peinture**

**Scotch protecteur**

**6** Enfoncez les clous qui dépassent avec un poinçon pour qu'ils soient sous la surface du bois. Appliquez de l'enduit dessus. Une fois sec, poncez-le avec du papier de verre à grain fin.

**7** Passez une couche d'apprêt sur tous les bois nus ou décapés et laissez sécher une nuit.

**8** Commencez à peindre du haut vers le bas. Prenez l'échelle pour atteindre les avant-toits.

**9** Peignez ensuite votre façade, toujours du haut vers le bas, et vos fenêtres de l'intérieur vers l'extérieur : d'abord le châssis (qui tient les vitres) puis les côtés, le haut et le bas de la fenêtre, ensuite l'encadrement.

## FAITES / NE FAITES PAS

☑ Vérifiez toujours que votre échelle repose sur du solide et demeure bien stable : jamais sur une bâche, ni sur une pierre ou sur une branche.

☑ Avant d'ouvrir un pot de peinture, secouez-le bien, et quand vous l'avez ouvert, remuez bien avec un bâton avant de commencer.

## ASTUCE

☑ La peinture fraîche exposée au soleil va cloquer, aussi peignez vos murs exposés à l'Ouest le matin et ceux qui sont exposés à l'Est l'après-midi.

# RÉPARER UN PORTAIL

Au cours des ans, un portail risque de jouer et de ne plus se fermer correctement. La solution est de remplacer le bois pourri et les charnières, puis de poser un tendeur pour donner un coup de jeune à votre portillon.

| *L'équipement* | **LA MÉTHODE** |
|---|---|
| **Tournevis** | **1**   Vérifiez les charnières et regardez si les vis ne sont pas desserrées à cause des mouvements d'ouverture et de fermeture de la porte. |
| **Chevilles en bois** | |
| **Colle à bois** | **2**   Si des vis sont desserrées, revissez-les. Si elles ne tiennent plus parce que le bois est pourri, retirez-les avec leurs charnières. |
| **Marteau** | |
| **Vis à bois** | **3**   Coupez des chevilles à la dimension des trous, enduisez-les de colle à bois et enfoncez-les dans chaque trou avec un marteau (voir Fig. A). |
| **Charnières neuves** | |
| **Tendeur métallique** | **4**   Remettez une charnière en fixant les vis dans les nouvelles chevilles. |
| | **5**   Si vous vous apercevez que l'assemblage à tenons et mortaises (extrémités des pièces qui entrent dans des trous) de la porte de votre jardin est vraiment en mauvais état, voire même totalement endommagé, utilisez des coins en bois pour réparer et consolider l'ensemble. |
| | **6**   Pour ce faire, placez des coins en haut et en bas du tenon en badigeonnant généreusement de colle à bois avant d'enfoncer les coins et le tenon dans la mortaise (voir Fig. B). |
| | *suite page de gauche* |

*suite*

**7** Ensuite, enfoncez les vis dans le tenon pour bien les accrocher à la mortaise (voir Fig. C.).

**8** Si joints et charnières sont bien réparés et que la porte joue toujours, fixez l'extrémité d'un tendeur métallique à un angle du portillon, et l'autre à l'opposé.

**9** Vissez le tendeur jusqu'à ce que le bas du portail soit à niveau (voir Fig. D).

*Fig. A*

*Fig. B*

*Fig. C*

*Fig. D*

# REJOINTOYER DES BRIQUES

Les briques sont solides mais s'encrassent, et les joints en ciment peuvent s'effriter. Comme tout ce qui est à l'extérieur, il faut les nettoyer, remplacer le ciment – cela s'appelle rejointoyer.

## *L'équipement*

**Marteau**

**Ciseau**

**Ciment à briques**

**Petite cuvette**

**Truelle**

**Truelle pointue**

**Vieux pinceau plat**

**Acide chlorhydrique**

**Eau**

**Brosse en nylon rigide à long manche**

## COMMENT FAIRE

1. Grattez correctement tous les vieux joints avec un ciseau et un marteau.

2. Faites du ciment dans une cuvette. Prélevez-en avec votre truelle, appliquez-le sur vos briques et servez-vous d'une truelle pointue pour enfoncer le ciment entre les briques.

3. Quand vous avez mis une quantité suffisante de ciment, trempez un vieux pinceau dans l'eau et passez-le doucement sur les briques et les joints pour bien fixer le ciment.

4. Laissez sécher une demi-heure, puis retirez le surplus avec votre truelle afin que le ciment affleure à la surface des briques.

5. Laissez sécher le ciment toute une nuit, puis diluez une mesure d'acide chlorhydrique dans dix mesures d'eau dans une cuvette pour nettoyer.

6. Trempez une brosse dure à long manche dans cette solution et frottez votre mur. Cela devrait enlever le film de ciment déposé sur les briques pendant les travaux.

# NETTOYER LE JARDIN

Jardiner est un excellent prétexte pour aller dehors, vous changer les idées et vous salir les mains. C'est aussi un des meilleurs moyens de présenter votre maison à son avantage. Un jardin plein de feuilles mortes, de branches et de détritus laissera vos visiteurs de marbre.

## L'équipement

**Gants de jardinage en cuir**

**Sacs-poubelle**

**Râteau**

**Pelle**

**Vieille balayette + pelle**

**Tronçonneuse ou/et ébrancheur**

**Sécateur**

**Pioche (en cas de présence de souches)**

**Brosse à récurer**

## LA MÉTHODE

1. Enfilez vos gants en cuir et élaguez les buissons et les branches avec un sécateur, un ébrancheur ou une tronçonneuse. Regroupez et entassez tout proprement dans un coin.

2. Ratissez toutes les feuilles et les petites branches de la pelouse. Aidez-vous d'une pelle à poussière pour ramasser. Mettez les débris dans un sac-poubelle. Si vous avez déjà un tas de compost, mettez-les dessus.

3. Les souches ne sont pas très esthétiques et très difficiles à retirer, mais c'est une activité virile (excellente en présence de témoins féminins). Avec une pelle ou une pioche, creusez une tranchée autour et coupez-la à la tronçonneuse à 30 cm en dessous du sol. Vous n'y parviendrez que si l'arbre est vraiment mort.

4. Nettoyez maintenant vos dallages (terrasses, pas japonais, allées de garage) avec une brosse dure et de l'eau.

# VOTRE
# MAISON
# C'EST VOTRE
# CHÂTEAU

La maison d'un homme est son château, parce que c'est l'endroit où il garde toutes ses possessions (bien rangées, évidemment). Il peut y inviter ses amis pour jouer. Ses conquêtes peuvent l'admirer. La famille en déduit le montant de ses revenus. Que tout cela disparaisse – incendie ou vol, par exemple – et le château de l'homme n'est plus que château de cartes. Voilà pourquoi il vous faut de gros chiens impressionnants. Et une bonne assurance.

# LA SÉCURITÉ

Une jolie maison où tous vos objets de valeur sont bien présentés ou bien rangés peut vraiment être un endroit agréable pour se relaxer après une harassante journée de travail. À moins qu'un malfaisant ne se soit introduit chez vous pour tout vous dérober. Si c'est le cas, vous ne vous relaxerez pas, et en plus vous raterez le match que vous vous faisiez une joie de regarder, parce qu'on vous aura volé votre téléviseur à écran plasma. Voici quelques conseils pour que les voleurs restent à l'écart.

Assurez-vous que portes et fenêtres sont équipées de bons verrous. Une porte devrait être équipée d'un verrou au minimum (voir page 136) et d'une chaîne. Prévoyez aussi un judas pour identifier vos visiteurs.

Éclairez bien l'extérieur de votre maison. Les lumières extérieures sont d'ailleurs très esthétiques. Les lampes à détecteur de présence sont également efficaces pour surprendre quiconque ne devant pas se trouver dans les parages de votre maison.

Plantez des arbustes à épines sous vos fenêtres pour dissuader les voleurs de s'y aventurer.

Gardez vos valeurs dans un coffre-fort dissimulé dans votre maison. Des petits malins en ont deux : un vrai et un autre pour tromper l'ennemi.

Évitez de laisser vos trousseaux de clés en évidence (sous le paillasson ou dans un pot de fleurs), les voleurs ne sont pas complètement stupides.

Installez un système d'alarme. L'investissement peut être élevé, mais s'avérer rentable, surtout si vous avez choisi l'abonnement avec intervention de vigiles en cas d'intrusion.

# COMMENT CHOISIR
# LA BONNE ASSURANCE

Le choix d'une bonne assurance est une garantie supplémentaire de préserver vos biens, et de pérenniser vos réparations. De plus, en cas de coulée de boue, ouragan ou autre calamité naturelle qui détruirait votre joli nid, la bonne assurance vous remboursera pratiquement tout (y compris le toit et vos CD). Attention ! Les compagnies d'assurance ont la réputation d'être procédurières, bureaucrates et de mauvaise foi. Lisez bien vos contrats et toutes les clauses (même celles qui sont écrites en tout petit).

## CE QUE VOUS RECHERCHEZ

1. Avant de signer, sachez bien ce que couvre votre assurance. Est-ce le bâtiment, à l'exclusion de ce qu'il contient ? (ce n'est pas ce que vous voulez). D'autres n'assurent que la liste que vous leur fournirez.

2. Vérifiez que vous êtes assuré pour un montant qui vous permettra de racheter tout ce qui sera volé et/ou détérioré, ou de reconstruire votre maison à l'identique dans les cas très graves (feu, ouragan, inondation ou cataclysme).

3. Faites un inventaire de vos biens et de leur valeur monétaire. Conservez cette liste, avec toutes les factures (autant que possible), dans un coffre à l'épreuve du feu ou dans un coffre en banque. Si vous devez racheter des objets, la compagnie d'assurances vous réclamera évidemment ce genre de justificatifs.

4. Alarmes, serrures sophistiquées, détecteurs d'incendie et extincteurs peuvent faire baisser le montant de votre assurance (à négocier d'arrache-pied).

5. Étudiez bien toutes les conditions des garanties et les différentes tranches de remboursement proposées en cas de sinistre.

# LE CHIEN DE GARDE :
# LE MEILLEUR AMI DE L'HOMME

Si vous perdez votre boulot et votre petite amie la même semaine, vous pourrez peut-être appeler quelques copains pour vous saoûler de concert, mais il y en aura un seul pour vous lécher les pieds : votre chien. Les compagnons canins sont aussi de bons systèmes d'alarme si vous renoncez aux systèmes électroniques ou aux buissons d'épines sous vos fenêtres.

Évidemment, renseignez-vous pour savoir quels chiens seront vraiment efficaces en cas d'intrusion dans votre domaine. Certains aboient, sans mordre pour autant : il s'agit de chiens d'alarme, mais ce ne sont pas de véritables chiens de garde ; tandis que d'autres aboieront et ne dédaigneront pas un mollet ou une fesse dodue. Enfin, il reste ceux qui lèveront à peine une paupière quand quelqu'un entrera chez vous en pleine nuit (même si c'est vous), dans le style Droopy.

| *Les chiens d'alarme (aboyeurs)* | *Les chiens de garde (mordeurs)* |
|---|---|
| **Yorkshire ou Scottish terrier** | **Doberman** |
| **Pinscher nain** | **Mastiff** |
| **Schnauzer** | **Rottweiler** |
| **Teckel** | **Berger allemand** |
| | *Les incompétents* |
| | **Basset** |
| | **Gentil bâtard** |
| | **Bouledogue** |
| | **Carlin** |

# SÉCURISER VOS FENÊTRES

Pas de doute, voici le talon d'Achille de votre maison. Il est très facile de briser une vitre en se protégeant la main. Certes, la méthode est un peu bruyante, mais il suffit au voleur de guetter la bonne occasion. Il existe quand même quelques moyens de vous protéger.

## COMMENT FAIRE

**1** La première et principale précaution à prendre, c'est de fermer absolument toutes vos fenêtres et portes-fenêtres quand vous quittez votre maison, que ce soit le jour ou la nuit.

**2** Pour renforcer votre sécurité, vous pouvez envisager d'installer un système de verrou pour vos portes-fenêtres, ou de poser une crémone (dispositif composé de tringles métalliques) qui se verrouille.

**3** Cela ne coûte rien d'apposer des auto-collants prévenant tout cambrioleur de la présence d'un système d'alarme, même si vous n'en avez pas. Peut-être le malfaisant ne s'aventurera-t-il pas plus loin.

**4** N'hésitez pas à demander plusieurs conseils auprès des spécialistes et étudiez bien les différentes qualités de verre que vous pouvez installer sur vos fenêtres selon les risques (météo, catastrophe naturelle, environnement, etc.). Il en existe beaucoup et de toutes sortes portant le label « anti-effraction ». Faites-vous bien expliquer et choisissez en fonction de votre budget.

**5** Si cela ne vous donne pas le sentiment d'être en prison, vous pouvez aussi poser des barreaux à vos fenêtres.

**6** Le volet roulant est une bonne solution, si vous n'avez pas peur d'être pris pour un commerçant paranoïaque. Sinon, il existe toutes sortes de systèmes de volets, choisissez en fonction de vos besoins et moyens.

# SÉCURISER VOTRE PORTE

Une bonne porte en bois épais avec une bonne serrure et un verrou, voilà déjà une bonne protection. Vous trouverez ci-dessous la marche à suivre pour l'installation d'un verrou, si vous n'en avez pas. Prenez-le avec un pêne aussi long que possible.

| *L'équipement* | **COMMENT FAIRE** |
|---|---|
| **Ruban à mesurer** | **1** 15 cm au-dessus du bouton de la porte ou au-dessus de la poignée, faites une marque au crayon. Avec une équerre, tracez une ligne droite passant par cette marque. Elle passera par le centre du cercle où sera fixé le verrou. |
| **Crayon** | |
| **Équerre** | |
| **Verrou complet avec pêne, barillet, têtière, gâche et serrure** | **2** Placez votre barillet sur la porte. Il devrait être positionné sur le bord de la porte. Alignez-le contre la première marque (étape 1) que vous avez tracée et utilisez un crayon pour reporter tous les trous de fixation du barillet sur la porte. Vous saurez ainsi où il faudra percer chaque trou, y compris celui qui doit se trouver sur la tranche de la porte où entrera le pêne (voir Fig. A). |
| **Perceuse avec mèche à perforer de 22 mm et mèche scie de 5,5 cm** | |
| **Ciseau** | |
| **Marteau** | **3** Utilisez une mèche scie de 5,5 mm puis découpez le trou d'emplacement du verrou sur la porte. Arrêtez-vous avant que la scie ne traverse le panneau de la porte, et terminez l'opération avec le trou de l'autre côté. |
| **Cirage noir** | |

*suite page de droite*

*suite*

**4** Prenez maintenant la mèche de 22 mm et percez sur la tranche de la porte pour créer un trou où viendra s'enfoncer le pêne.

**5** Placez le pêne dans le trou et mettez la têtière dessus, pour tracer son contour sur la tranche de la porte. Découpez une enclave au ciseau pour que la têtière vienne au niveau de la surface du bois quand elle sera en place (voir Fig. B.).

**6** Introduisez les vis dans les trous prévus à cet effet et fixez le verrou en serrant les vis. Ensuite, vissez la têtière.

**7** Enduisez l'extrémité du pêne avec du cirage noir, fermez la porte et actionnez le pêne dans le cadre de la porte pour déposer une marque. Cela indiquera où percer le trou pour le verrou dans le cadre.

**8** Répétez l'étape 5, cette fois avec la gâche, en traçant son contour et en évidant au ciseau le cadre de la porte pour que la gâche soit bien au niveau de la surface du bois. Vissez enfin la gâche à son emplacement.

## F A I T E S   /   N E   F A I T E S   P A S

**☒** N'appuyez pas trop fort quand vous percez une porte, vous risqueriez de fendre le bois. Laissez la perceuse travailler pour vous.

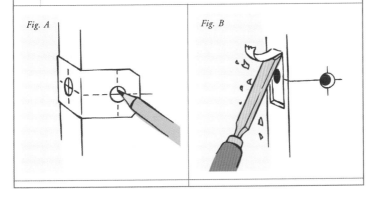

*Fig. A*

*Fig. B*

# SE PROTÉGER CONTRE LES RISQUES D'INCENDIE

Même si l'occasion se présente de vous conduire en héros en sauvant votre belle-mère et en empêchant le perroquet de votre femme de se transformer en poulet rôti, voir brûler sa maison reste un événement terrible. Non seulement vous serez obligé de remplacer ce qui aura été carbonisé, mais tout votre fantastique travail (voir pages précédentes de cet ouvrage) sera parti en fumée. Il vaut mieux donc prendre quelques précautions.

## LA MÉTHODE

1. Ayez au moins un extincteur à chaque étage de la maison et surtout un dans la cuisine, où se déclarent la plupart des incendies.

2. Les détecteurs de fumée vous avertissent avant qu'il ne soit trop tard. Installez-en si vous le pouvez, vous éviterez les flammes.

3. Stockez poubelles, cartons, vieux vêtements ou autres matériaux combustibles à plus d'un mètre des chaudières et chauffe-eau.

4. Vérifiez le bon état de vos appareils électriques. N'hésitez pas à remplacer immédiatement les fils et cordons abîmés (voir Chapitre 2).

5. Éloignez vos plantes des bougies et radiateurs pendant les fêtes de Noël.

6. Installez vos bougies à un mètre au moins de vos rideaux et posez-les toujours sur une soucoupe ou un support métallique.

7. Ne fumez rien dans votre lit.

8. Vérifiez ou faites vérifier vos conduits de cheminées pour vous assurer qu'il n'existe absolument aucune fissure par laquelle une flamme pourrait passer.

# PLAN D'ÉVACUATION

Vous avez pris toutes vos précautions, certes, mais qui peut empêcher votre vieil oncle de s'endormir pour une petite sieste avec son délicieux Havane allumé ? Et voilà, les rideaux sont en flammes, l'extincteur est vide et le plastique commence à fondre. Il vous faut un plan d'évacuation.

| *L'équipement* | LA MÉTHODE |
|---|---|
| **Feuille de papier millimétré** | **1** Dessinez un plan de votre maison, pièce par pièce, sur une feuille de papier millimétré. Notez bien les emplacements de chaque porte et fenêtre, et identifiez les pièces. |
| **Crayon** | |
| **Pochette en plastique transparent** | **2** Inscrivez le mot « SORTIE » en capitales près de chaque porte qui donne sur l'extérieur. |
| **Punaises** | **3** Dessinez de petits cercles indiquant l'emplacement de chaque détecteur (si vous en avez). |
| | **4** Parcourez votre maison pour définir le chemin le plus rapide à emprunter pour sortir. Tracez des flèches sur votre plan, indiquant le parcours de chacun pour atteindre une sortie. |
| | **5** Choisissez un point de rendez-vous à l'extérieur (voisin, épicier du coin) loin de l'incendie, où vous pourrez rassembler les occupants de votre maison pour les compter. |
| | **6** Faites reconnaître le trajet d'évacuation par tous les occupants de la maison. Placez votre plan dans une pochette en plastique transparent et punaisez-le ou scotchez-le en évidence, par exemple sur la porte de la cuisine ou sur le réfrigérateur. |

# PARTIR TRANQUILE

Lorsque vous partez en vacances, vous n'avez pas envie qu'une bande de squatters vienne s'installer chez vous, vide votre bar et casse tout. Pour éviter un tel désastre, sachez donner l'impression que vous êtes toujours là, bon pied, bon œil.

### LA MÉTHODE

**1** Laissez une voiture dehors devant la porte de votre garage.

**2** Demandez à un voisin de prendre votre courrier et/ou (s'il est très sympa) de sortir votre poubelle en y mettant une partie de ses déchets.

**3** Laissez une ou deux lumières allumées, y compris celle de votre porte d'entrée. Si vous en avez les moyens, achetez un programmateur qui allumera et éteindra les différentes lampes de votre maison tour à tour.

**4** Tondez la pelouse et ratissez juste avant de partir. Si possible, trouvez quelqu'un (qui n'habite pas loin) pour le faire aussi pendant votre absence.

**5** Laissez une clé à votre voisin (ou ami, ou membre de votre famille qui ne vit pas trop loin) et un numéro de téléphone où vous joindre en cas d'urgence.

**6** Pour économiser électricité et gaz, baissez votre thermostat sur la position hors gel, et vérifiez bien que toutes les lumières sont éteintes.

**7** Coupez bien sûr l'eau chaude. Il est inutile d'avoir une réserve si c'est un ballon. En plus, si des squatters, malgré toutes vos précautions, viennent quand même s'installer chez vous, ils seront refroidis... par une bonne douche.

### FAITES / NE FAITES PAS

**✗** Ne coupez pas le chauffage complètement si vous partez en plein hiver, vos tuyaux risqueraient d'éclater (mais si vous avez lu ce livre, vous le savez déjà !).

# INDEX